Paul Berval

Vivre pour le rire

Pierre Day

Paul Berval

Vivre pour le rire

ÉDITIONS TRAIT D'UNION
284, square Saint-Louis
Montréal (Québec)
H2X 1A4
Tél. : (514) 985-0136
Téléc. : (514) 985-0344
Courriel : editions@traitdunion.net

Correction : Gilles Desjardins
Révision : Alain Rémillieux, Anne-Marie Duquette, Sophie Ginoux, Ingrid Remazeilles
Conception et mise en pages : Isabelle Peyton
Illustration de la couverture : Karine Cournoyer
Maquette : Karine Cournoyer
Photo de la page couverture : © Les Magazines TVA Inc./Daniel Auclair photographe.

Données de catalogage avant publication (Canada)
Pierre Day,
Paul Berval : vivre pour le rire
Biographie
ISBN : 2-89588-078-6
1. Berval, Paul . 2.Acteur de télévision - Québec (Province) - Biographies
3. Animateurs de télévision - Québec (Province) - Biographies. I. Titre.
PN2308.B47D39 2003 791.45'028'092 C2003-941652-6

DISTRIBUTEURS EXCLUSIFS
POUR LE QUÉBEC ET LE CANADA
Édipresse inc.
945, avenue Beaumont
Montréal (Québec)
H3N 1W3
Tél.: (514) 273-6141
Téléc.: (514) 273-7021

POUR LA FRANCE ET LA BELGIQUE
D.N.M.
30, rue Gay-Lussac
75005 Paris
Tél.: 01 43 54 49 02
Téléc.: 01 43 54 39 15

Nous remercions le Conseil des Arts du Canada ainsi que le gouvernement du Canada (Programme d'aide au développement de l'industrie de l'édition) pour leur soutien financier.

Nous bénéficions d'une subvention d'aide à l'édition de la SODEC.

« Nous reconnaissons l'aide financière du gouvernement du Canada par l'entremise du Programme d'aide au développement de l'industrie de l'édition (PADIÉ) pour nos activités d'édition »

Pour en savoir davantage sur nos publications, visitez notre site
www.traitdunion.net

Dépot légal : 2e trimestre 2004
Bibliothèque nationale du Québec
Bibliothèque nationale du Canada
ISBN : 2-89588-078-6

De Phèdre à un Beu-qui-rit...

Table des matières

Préface

Combien de belles soirées je dois à Paul Berval, comme spectateur et comme acteur, ce aussi bien à la télévision et au théâtre, qu'au cabaret. Il a le don de faire rire, de me faire rire. Autant à la ville qu'à la scène. J'ai beaucoup de respect et d'admiration pour Paul. Je suis sûr qu'il n'a pas exploité la moitié de son talent. Qu'il n'a pas eu l'occasion de donner la pleine mesure de toutes ses possibilités artistiques. Il joue bien, il chante bien, et il a un sens de la répartie remarquable, sans parler de son *timing* hors du commun. J'ai hâte de lire ce livre, j'ai hâte de redécouvrir mon ami Paul à qui je souhaite tout le bonheur qu'il mérite. Qu'il en ait autant qu'il en a donné aux autres.

Salut Paul !

Ton ami Gilles Latulippe

Je pense toujours à Paul avec nostalgie. Je me souviens des beaux jours du Beu qui Rit ou le tout-Montréal venait s'entasser pour l'écouter et rire. Tous les soirs je le regardais avec admiration. Paul a été mon maître en comédie je lui dois beaucoup ! Quel bonheur d'être humoriste. Saki disait : « L'imagination a été donnée à l'homme pour compenser ce qu'il n'est pas. L'humour pour le consoler de ce qu'il est. »

Je t'aime Paul.
Te l'ai-je déjà dit ?

Dominique Michel

Mon cher Paul, ayant eu le grand plaisir de te connaître, je suis triste de penser que tu n'es plus dans le métier parmi nous à une époque où se perdent les bonnes manières. Tu étais toujours d'une exquise courtoisie et d'une gentillesse que masquait ton sens de l'humour. Ah, ce sens de l'humour ! Dans les coulisses de *Music-Hall* ou en vacances à bord de l'*Atlantique*, toujours présent ! Des hommes de ta qualité ne courent pas les rues : c'est pourquoi tu demeures inoubliable.

Affectueusement.
Michelle Tysseyre

Prologue

Depuis quelque temps déjà, je rêvais d'écrire les bons et joyeux souvenirs de mes quelque cinquante ans de carrière artistique, afin de les partager avec mon fidèle public que j'aime beaucoup... Tiens, v'la t-y pas que je me prends pour La Poune qui disait : « J'aime mon public, mon public m'aime. » Ne trouvant jamais le temps de rédiger mes mémoires, je rencontre au début de l'année 1994, un groupe de la production radiophonique de l'auguste maison Radio-Canada, qui me propose une série d'émissions animées par Jacques Houde et réalisées par André Roy et son assistante Françoise-Nicole Tremblay. La formule de ces heures sur les ondes de CBF est de faire connaître aux auditeurs les grands moments de ma vie artistique, au moyen d'entrevues avec de grands musiciens, d'excellents comédiens et de formidables chanteurs. Bref, tous mes amis du milieu du spectacle. La série s'intitule *Je m'appelle Paul Berval* ; elle débute le 20 juin et se termine à la fin de septembre 1994.

Pierre Day (biographe de La Bolduc, de Jean Rafa et de Juliette Huot) auquel j'ai pensé pour rédiger mes souvenirs, s'inspire bien entendu de plusieurs notes de ces émissions afin de fignoler la longue histoire de ma carrière artistique. Quand je vous dis longue, pour une fois, je ne vous fais pas une farce ! Eh oui, j'ai commencé professionnellement en 1945, mais j'avais fait avant tous les concours d'amateurs du genre de la *Living room Furniture*. Mes bras n'étaient pas assez longs pour mettre toutes les montres que j'avais gagnées en premiers prix ! De plus, ces petits objets supposément pratiques ne l'étaient pas toujours : il m'arrivait souvent de trouver l'heure juste sur l'une et de voir indiqué sur d'autres une heure plus tard (comme dans les Maritimes), ou encore d'y retrouver le décalage (moins trois heures) de Vancouver, puis peut-être aussi celui de Sainte-Anne-de-la-Pocatière. Mais, soyons sérieux...

Donc, ces petits trophées de luxe n'étaient pas commodes pour me trouver à temps à mes rendez-vous à la radio ou au théâtre. Dès mes premiers engagements, j'ai vite compris que si je voulais vivre de ce métier, il me faudrait faire beaucoup de choses.

J'acceptais tout ce qu'il m'était possible de prendre au théâtre et à la radio. Les cachets, en ce temps-là, n'étaient pas très élevés. Heureusement, le "Grand Manitou" m'avait fait cadeau de quelques dons comme celui de pouvoir chanter, jouer la comédie et d'aborder des rôles dramatiques, et même de danser le ballet. (Pas le russe, j'étais plutôt du côté des moppes soviétiques.) Pour faire ce métier, il faut d'abord avoir la voix, mais il est très important de savoir faire travailler ses cordes vocales. Ensuite, si vous voulez faire du chant, il faut se trouver un bon professeur et faire des exercices. Même chose pour la danse. En art dramatique, on doit se soumettre à beaucoup de discipline pour pouvoir jouer différents rôles. Trimer dur est la formule essentielle. Il faut aussi avoir une certaine dose d'humilité et aimer le monde. Pour ce qui est de la sécurité d'emploi... c'est quoi ça ? On n'est jamais sûr d'avoir du travail le lendemain. C'est comme ça ! La foi est de rigueur et il faut savoir se débrouiller pour trouver du travail, parce que personne ne va venir te chercher chez toi. On ne fait pas ce métier pour être adulé. Il faut le faire honnêtement, y mettre tous les efforts, et y croire. Ce n'est pas une profession où l'on est toujours en tête d'affiche.

J'ai vu des comédiens qui n'ont jamais dépassé un certain stade, qui avaient du talent, mais peut-être pas assez pour jouer à peu près de tout. C'est un travail où la chance compte énormément. On peut avoir beaucoup de talent et ne pas travailler régulièrement parce qu'on n'a pas eu la chance d'être là au bon moment. En lisant cette biographie de Pierre Day, vous comprendrez sans doute que j'ai raison.

Bonne Lecture.

Paul Berval

Chapitre 1

Jeunesse à Longueuil

Pierre-Paul Bédard, issu du mariage de Marguerite Audette et Alonzo Bédard, dont la noce avait été célébrée le 9 février 1918, naît dans le coquet village de Longueuil le 20 janvier 1924. La famille habite alors dans une vaste résidence située rue St-Laurent coin chemin Chambly et voisine du collège de Longueuil. Cette grande maison sera détruite par la suite. Pierre-Paul, surnommé souvent Ti-Paulo, puis professionnellement dans le milieu artistique Paul Berval, a été précédé dans la famille de son frère Jean-Jacques, suivi de Marielle sa grande sœur. Puis, un an après lui, naît à son tour Marie-Anne, sa frangine, amie et complice. Papa Alonzo Bédard est natif de Sorel où ces villageois portent le surnom de Tire-Bouchons. Ce sobriquet leur vient du fait que cette municipalité a un nombre record de tavernes en son enceinte. Alonzo a marié Marguerite Audette en secondes noces, car il avait déjà épousé Addie Bourque le 30 septembre 1912. De ce premier mariage était né un garçon nommé Roland, né le 29 novembre 1913. Roland Bédard, célèbre comédien aujourd'hui disparu, expliquait avec son sens aigu pour la comédie :

« Mon grand-père Amédé Bédard et son épouse Philomène Garceau donnèrent naissance à deux enfants, Sara et mon père Alonzo. Peu de temps après la naissance de celui-ci, sa mère Philomène mourut. Grand-papa qui avait une forte nature se remaria prestement avec une jolie créature du nom de Sara Bourque. Cette dernière avait une sœur qu'Alonzo et sa frangine nommaient, sans la connaître puisqu'elle habitait aux États-Unis, tante Addie. Un jour, la fameuse tante américaine annonce qu'elle viendra rendre visite à sa sœur et à son beau-frère. Alonzo, redoutant une vieille tante franco-américaine grincheuse, se retrouva devant une délicieuse jeune fille dont il devint si vite amoureux qu'il en fit son épouse. Moi, quand je suis né, poursuit Roland, je suis devenu le neveu de mon papa Alonzo, étant le fiston de la sœur de ma tante. Mon demi-frère Paul Berval est donc aussi mon cousin puisqu'il est le fils de mon oncle, l'époux de ma maman. »

Roland, qui accepte mal la nouvelle épouse de son père, ne partage pas longtemps la vie de ses demi-frères et sœurs. « Notre maman, raconte Marielle, était une femme souvent malade. Nous étions à maintes reprises dans l'obligation de nous tenir tranquilles et silencieux, ce qui était pour Paulo, véritable moulin à paroles, assez difficile. Notre mère était aussi une femme austère et extrêmement religieuse, si pieuse que le chapelet se disait obligatoirement tous les jours en famille. »

« Je me souviens, raconte Paulo, que Marie-Anne et moi prenions place toujours dans le dos de Maman et un peu de côté pour que Jean-Jacques, Roland et Marielle nous voient, et nous nous efforcions de trouver les pires pitreries afin de les faire rire. Même si nos réussites étaient rares, il reste que nous nous amusions tous les deux comme des fous. Cependant, nous avions une maman qui adorait se mettre au piano et chanter avec les enfants réunis autour d'elle et son bouffon de mari. Alonzo, surnommé Bozo, était un homme qui aimait rire, raconter des histoires comiques et fredonner sans cesse. C'était sa façon de se détendre du dur labeur qu'il accomplissait à l'usine Womsley où l'on fabriquait des canons. Aujourd'hui, la Pratt & Whitney, située au même endroit que son ancêtre, suit ses traces puisqu'elle produit des bombes et missiles nucléaires, des avions et de petits bras sophistiqués servant à la trajectoire des fusées qui partent de Cap Canaveral en Floride vers les grands espaces inconnus. »

« Souvent, le soir, papa et maman recevaient des amis. Notre grand plaisir était de les entendre chanter autour du piano. Papa avait une belle voix. Tous les deux chantaient souvent aux messes et services religieux de la paroisse. Lorsque ma sœur Marie-Anne demandait à nos parents la permission de prendre des cours de chant, Maman hésitait mais en était vite convaincue par Alonzo, qui avait un goût marqué pour les arts vocaux et qui faisait confiance au talent de sa fillette. Tous deux alors lui accordaient ce grand plaisir. Papa, possédant un sens artistique très développé, adorait jouer dans des pièces de théâtre avec un groupe amateur, tous des confrères de son temps de jeunesse, qui se produisaient à la salle de théâtre du collège de Longueuil. Je me souviens que Camilien Houde, devenu plus tard maire de Montréal, faisait partie de ce groupe qui présentait des pièces historiques telles que

Charles Lemoyne d'Iberville. Je n'oublierai jamais le jour où papa est entré à la maison entre deux représentations, avec son costume d'indien, maquillé de barres rouges, noires et bleues sur le visage, des plumes multicolores sur la tête et faisant tellement le pitre que l'on riait à se rouler par terre. Même maman ne pouvait pas garder son sérieux. »

« Papa, malgré ses constantes bouffonneries, était un homme cultivé. Il adorait le chant classique et achetait des disques de Caruso, Galli-Curci, Lily Pons et Gigli qu'il nous faisait entendre sur notre tourne-disque à manivelle, et nous expliquait en détail ces extraits d'opéras. Mon demi-frère et moi étions sans aucun doute les dignes fils d'Alonzo. Roland, après avoir accompli quelques travaux dans différents commerces de Longueuil, et peinturé le haut clocher de l'église Saint-Antoine, délaissa la maison familiale. »

En interprétant des chansons de Fernandel et de Maurice Chevalier, Roland s'était inscrit à quelques concours d'amateurs d'où il était sorti vainqueur, se faisant ainsi une réputation de chanteur comique. Personne dans la famille n'avait été surpris de le voir côtoyer bien jeune le monde radiophonique et y gagner honorablement sa vie.

Le jeune Paul suivrait très bientôt son exemple. « Ti-Paulo, raconte sa grande sœur Marielle, impressionné par papa Alonzo, était taquin comme lui et adorait jouer des tours. Il racontait sans cesse de grosses blagues comiques, se saisissait de vieilles draperies ou de robes de chambre de Maman et, ainsi déguisé, inventait des monologues si drôles que nous étions tous suspendus à ses lèvres de longues minutes, nous tordant de rire. Jean-Jacques, Marie-Anne et moi lui demandions souvent : "Ti-Paulo, fais-nous tes niaiseries". Je vous jure qu'il ne se faisait pas prier longtemps. Même maman, souvent malade et parfois trop sérieuse, se laissait aller de temps en temps à l'hilarité provoquée par Paul. »

Paulo porte aussi grand intérêt aux succès artistiques de son demi-frère Roland. Comme lui, il apprend toutes les chansons drôles entendues sur disques et à la radio. « Je me souviens, se remémore Paul, que lorsque j'étais enfant, on n'avait pas de poste de radio à la maison et je marchais un demi-mille pour me rendre chez des amis où j'écoutais avec eux les chansons comiques qui se jouaient sur les ondes de CKAC. Au mois de novembre, je me rendais au coin de la rue Saint-Charles angle Saint-Jacques devant le magasin d'accessoires électriques de monsieur Edgar Day et j'écoutais par les haut-parleurs installés à l'extérieur le Père Noël qui parlait aux tout petits. » Très jeune, Paul devint enfant de chœur, quinze cents par messe, et vingt-cinq pour les grand-messes, les mariages et les enterrements. « Mais j'vous dis, dit-il souvent en rigolant, que je priais souvent pour avoir un nouveau mort dans la paroisse. »

Au cours de ces fonctions religieuses, ce que Paul aime par-dessus tout est d'entendre son grand frère Jean-Jacques chanter durant les messes et vêpres de la paroisse. Jean-Jacques, qui décédera à l'âge de 41 ans, a une très belle voix de baryton. Il adore chanter dans le jubé mais toujours retiré, derrière les autres, car jamais il n'affronterait un public de face, souffrant d'une gêne extrême.

Paul est inscrit par ses parents à l'école Saint-Georges, dirigée par les religieuses des saints noms de Jésus et de Marie. « Ça va peut-être vous étonner, mais j'étais sage et timide, dit Paul humblement, mais ça ne m'a pas empêché de recevoir à dix ans le prix de catéchisme. » Il est en effet bon élève et aime particulièrement la grammaire française. Il suit également des cours de diction. Les bonnes religieuses reconnaissent son talent et le font jouer dans toutes les séances de fin d'année. C'est là qu'il prend goût au théâtre. Il aime d'ailleurs tellement ça que l'été, avec des amis, il monte des spectacles chez la famille Armand, les voisins d'en face qui ont la chance de posséder un grand sous-sol. Le petit groupe d'amis se sert pleinement de cet endroit de prédilection, et tous les enfants du voisinage, pour deux épingles à couche et à linge par représentation, voient un excellent spectacle. Bien entendu, Ti-Paulo choisit la pièce, distribue les rôles, fait la mise en scène et chante des chansonnettes comiques. Si les jeunes spectateurs sont bruyants, il leur impose le silence avec autorité.

Longueuil, qui abrite la famille d'Alonzo et Marguerite Bédard, est un joli et paisible village longeant le magnifique fleuve St-Laurent. Quatre cent cinquante maisons, lesquelles regroupent cinq mille âmes, forment la paroisse Saint-Antoine de Padoue dirigée par le curé Monseigneur Georges Payette (1860-1938). Les Frères des écoles chrétiennes ont en charge le collège de Longueuil pour garçons. Dans leurs rangs, nous retrouvons le nom du futur fondateur du Jardin botanique de Montréal, le Frère Marie-Victorin. À l'est du couvent de Longueuil, dirigé par les religieuses des Saints Noms de Jésus et de Marie s'étend sur le rives du St-Laurent, une jolie plage qui permet à la jeunesse longueuilloise, lorsque reviennent les beaux jours d'été, de prendre ses ébats dans les eaux d'un fleuve encore peu pollué. Cette étendue de sable doré était située à l'endroit où se trouve aujourd'hui le parc Charles-Le Moyne.

« J'adorais me baigner dans l'eau du fleuve. Mon père m'avait construit un beau petit bateau avec lequel je jouais sans cesse », se souvient Paulo. La petite famille d'Alonzo Bédard, qui déménage souvent, habite non loin de la plage, au numéro 73 de la rue Saint-Charles au coin de la petite rue Saint-Étienne. L'épicerie Vermette, qui existe encore en l'an 2001 comme dépanneur, est leur voisin immédiat. « C'était l'endroit où j'achetais mes bonbons à la cent », se remémore aujourd'hui Paul. La famille de François d'Assise Brault (dix enfants) habite au 71, juste à coté de celle des Bédard. Pauline Brault se souvient que c'est à la plage de Longueuil qu'elle et ses frères, sous la surveillance des parents, ont appris à nager. À part cette oasis de plaisir, il n'y a pas de grandes activités pour la jeunesse longueuilloise. Pauline garde aussi le souvenir de son petit voisin Paulo Bédard qui s'amusait sans relâche avec la jolie voiturette qu'il avait eue en cadeau lors d'une fête de Noël, et qu'il traînait jusqu'à la plage. Comme vous pouvez l'imaginer, les enfants Bédard y vont sous la surveillance de maman Bédard et de madame Brault qui en profitent pour discuter tout en tricotant pour leur marmaille.

Paul Bédard trouve bien drôle aujourd'hui, en regardant les photos du temps, de voir hommes et femmes affublés de costumes de bain à bretelles et portant une jupette pour cacher le haut des cuisses. Décence du temps requise bien entendu ! « J'allais souvent me baigner seul avec Marie-Anne, raconte Paul. Un jour, comme j'aime bien jouer des tours, voyant ma petite sœur qui hésite à se saucer, je lui donne une jambette et elle tombe tête première dans l'eau, mais la bouche grande ouverte. Étouffée noir, elle sort de l'eau en pleurant et court jusqu'à la maison en criant : "Maman, Maman, Paulo a voulu me noyer !" Malgré ce drame dans un verre d'eau, ben, disons que le St-Laurent c'est un grand verre d'eau, ma sévère maman m'a servi ce jour-là une punition bien méritée. »

Depuis 1929, en regardant du côté ouest du fleuve, nous assistons de la plage à l'érection du futur pont qui reliera Montréal à Longueuil. « Un jour de mai 1930, raconte Paul, alors que je m'amusais en compagnie de mes copains Yves Charlebois et Claude Bret à faire des châteaux dans le sable chaud du printemps, nous avons entendu vers midi tous les bateaux, ancrés ou se rendant au port de Montréal, lancer tous en même temps, le cri strident de leur sirène. Ça réveille un petit garçon ça, mes amis ! On venait de joindre les deux arches du pont, dernier point de cette longue construction. » L'inauguration du pont du Havre, devenu plus plus tard Jacques-Cartier, eut lieu le 24 mai 1930 sous l'auguste présidence de Monseigneur Gauthier. Alonzo Bédard sera l'un des premiers percepteurs des droits de passage sur ce pont. « Disons qu'il était très généreux pour la population qu'il connaissait bien. Vu que la fameuse crise économique de 1929 venait à peine d'éclater, Alonzo, homme de bon cœur, laissait passer gratuitement les gens qu'il savait pauvres. Pour ses amis plus aisés, s'il voyait dans les voitures de jolies femmes, "Don Juan Bédard" disait en rigolant : "Je vous laisse passer sans payer votre cinq cents, si je peux obtenir un chaste baiser de ces belles créatures." Les belles dames, amusées, se pliaient toujours de bonne grâce à la demande du joyeux bouffon percepteur. »

Sur le site de la plage, une magnifique salle permet à la jeunesse de danser le soir au son d'un orchestre, malgré les différences d'opinions entre monsieur le maire d'alors Alexandre Thurber, et le trop rigide curé Payette qui voit dans la danse, le péché mortel conduisant aux enfers. Mais ce ne seront finalement pas les récriminations du curé, mais la pollution des eaux, commençant à se faire sentir, qui feront fermer la plage en 1936.

Comme le relatent aussi ses sœurs, Paulo était un enfant, non pas turbulent, mais très taquin et un bouffon-né. Lorsque Ti-Paulo atteint l'âge de huit ans, la famille Bédard déménage encore une fois. Il faut dire qu'ils changent d'endroit très souvent. Cette fois-ci, ils s'installent rue Charlotte en face de l'église paroissiale, au troisième étage, juste en haut de la boucherie de Zénon Sainte-Marie. Paulo se lie vite d'amitié avec les sept jeunes fils du boucher. Avec eux, il apprend à jouer au hockey et à la crosse. Les petits Sainte-Marie n'ont pas froid aux yeux. Cette belle jeunesse est saine et sportive à souhait. Mais Paul, un peu rêveur, est fasciné par ces cloches de l'église qui tintent à toute occasion. Il admire aussi ce long et haut clocher surmonté d'une magnifique girouette.

Ti-Paulo se souvient à ce propos d'une anecdote. Le curé Payette, se rendant compte que le clocher manquait de peinture, réclama au prône dominical un peintre auquel il offrirait un assez bon salaire pour peinturer ce clocher. Il ne reçut aucune réponse à son appel. Il faut dire que ce clocher, haut de deux cent cinquante pieds, reposait sur une coupole sise à cent pieds du sol, ce qui faisait un peu peur aux éventuels collaborateurs ! Ne voyant point de braves à l'horizon, notre pieux pasteur pria donc le patron de la paroisse, Saint-Antoine de Padoue (dit le "Nez-fourré partout") de lui trouver un bon samaritain. Sa prière fut exaucée. Un jeune de Longueuil accepta sans sourciller cette tâche périlleuse. Les villageois furent heureux d'apprendre que ce chevalier sans peur était aussi une nouvelle star radiophonique. Il s'agissait de nul autre que Roland Bédard, vedette du poste radiophonique CKAC. « La nouvelle s'était répandue comme une traînée de poudre, se souvient Ti-Paulo. Les gens pouvaient admirer de près, si l'on puit dire, notre nouvelle vedette montante. Tous les jours, une foule imposante admirait du trottoir mon demi-frère Roland juché tout là-haut, légèrement attaché, en train de peinturer et d'envoyer des bises à son fidèle public installé à ses pieds. Roland semblait aussi à l'aise en haut du clocher qu'un poisson dans l'eau. Certains jours, la foule était si dense que les policiers faisaient dévier la circulation afin de permettre aux badauds d'admirer Roland Bédard alias Louis Beaupré, personnage vedette du radio-roman *Rue principale,* et dont le patois "Barre de cuivre" était sur toutes les lèvres. Ainsi mon demi-frère devint en un seul été la coqueluche des Longueuillois. »

Ti-Paulo rêvasse souvent devant ce magnifique clocher lorsqu'il songe à la façon dont Roland, en si peu de temps, a su se faire une grande et bonne publicité. Alors un jour, répondant sans doute à son tour à un pressant besoin de se faire valoir, il organise avec ses amis les Sainte-Marie une expédition dans les hauteurs de l'église paroissiale. La rotonde sise à cent pieds du sol représente pour ces jeunes galopins un défi des plus intéressants, car en regardant à l'extérieur par les petites fenêtres on découvre un étroit trottoir reliant les six lucarnes. Pourquoi ne pas explorer cet intéressant contour de la place par le dehors ? Aussitôt dit, aussitôt fait. Les enfants, Ti-Paulo en tête, décident d'arpenter ce minuscule appuie-pieds. Quelques passants, les ayant surpris, flairent prestement la catastrophe, et aussitôt, alertent les pompiers. Ceux-ci, devant une foule grossissante, ramènent nos intrépides voltigeurs sans encombre sur le plancher des vaches. Les badauds, autant ébahis par le travail des valeureux pompiers que par la haute et longue échelle qu'ils utilisent, applaudissent à tout rompre. Paulo, déjà cabotin, semble croire que cette chaleureuse démonstration s'adresse à lui. Il distribue comiquement baisers et saluts à son premier grand public. Si c'était possible, il remonterait là-haut pour faire *bis*... Papa Alonzo demeurera malgré tout calme, et attendra patiemment à la maison le retour de son turbulent fiston. Il lui servira cependant une punition dont le jeune homme se souviendra longtemps.

Paul adore se rendre chez une voisine, madame Molinelli, afin d'écouter les radios CHLP et CKAC qui font fréquemment jouer des disques de Fernandel et de Maurice Chevalier. Le jeune garçon a une grande facilité à apprendre par cœur ces chansonnettes. « Un peu plus tard, explique Paul, je me suis fabriqué avec une boîte de craies empruntée à l'école, un petit radio cristal. Grâce aux écouteurs, ma concentration était bien meilleure pour apprendre plus rapidement mes chansons. »

« Avec les gars de la famille Sainte-Marie, se souvient également Paul, nous jouions souvent au tennis. On nous donnait vingt cinq cents pour arracher les mauvaises herbes. C'était pas un gros salaire, mais on nous laissait jouer au tennis et après, nous étions en forme pour jouer à la balle au mur. Je rencontrais souvent là mes camarades Philippe Lanois, Roger Trahan, Jean-Pierre Coté et Yves Charlebois. Ce dernier, avec ses économies, s'était acheté une bicyclette au coût de trente-cinq dollars à la quincaillerie Pépin. Pour me payer à mon tour un vélo, je suis devenu garçon livreur pour la dite quincaillerie. La livraison se faisait dans une voiturette tirée par deux poneys jumeaux. Quelle aventure ! Surtout lorsque les gentils petits chevaux prenaient le mors aux dents ! J'vous dis qu'avec cette voiturette à poneys, je ne passais pas inaperçu. Je devais certainement avoir déjà le sens du *show business.* Notre trajet préféré à bicyclette était de passer par la montée Boucherville et de revenir par Chambly. Nous formions des groupes de vingt jeunes garçons et filles et, les fins de semaine, on partait pour une bonne randonnée d'une cinquantaine de milles. On apportait de quoi manger. Une autre activité longueuilloise allait aussi me donner goût à mon futur métier de comédien. Mes compagnons Lanois, Trahan, Coté et Charlebois m'encourageaient à faire partie de la troupe de scouts de Longueuil, fondée par Georges Henri Sainte-Marie et l'aumônier, le Père Lanois. Lorsque je suis entré dans la troupe en 1934, Philippe Dunley était le chef, secondé par l'aumônier Silvaire Bonin. Un peu plus tard, mon ami Roger Trahan, surnommé Ti-Loup, est devenu chef de la troupe à son tour. Jean-Pierre Coté, qui deviendrait plus tard sénateur, faisait aussi partie de notre groupe. Dans la troupe scoute, nous improvisions souvent de petites pièces de théâtre. Bien vite, je suis devenu l'acteur principal. Souvent, durant les entractes, je chantais des chansons comiques. Mon succès le plus demandé était la chanson popularisée par Maurice Chevalier *Il pleurait comme une Madeleine*, chansonnette qui me permettait toutes les fantaisies possibles. »

« Je crois bien, nous raconte Yves Charlebois, que c'est au sein de ce mouvement scout que Paulo a compris qu'avec la facilité qu'il avait de faire rire ses copains, il se dirigerait un jour vers le monde du théâtre. Pendant les rassemblements scouts par exemple, on organisait des feux de camp régulièrement. C'était le moment où nos jeunes les plus talentueux préparaient de petits sketches comiques. Paulo, en faisait presque toujours partie. Il n'était jamais cabotin, et il laissait toujours les autres durant ce temps s'exprimer à leur guise. Mais quand arrivait son tour, alors là, il chantait, imitait les acteurs en vogue, les politiciens et bien sûr ses camarades, créant ainsi au sein du groupe une franche camaraderie. Puis il se mettait à parler à la française. Il nous récitait de grands vers de Racine et de Molière avec les bonnes intonations. Il prenait un livre racontant une histoire banale, l'ouvrait à n'importe quelle page et dramatisait le texte. Il lisait la Bible et mimait les Saints Évangiles. Il faisait tout pour faire rire ses camarades qui en redemandaient. Il improvisait aussi de fameuses descriptions de joutes de hockey de nos valeureux Canadiens. Je vous assure que nos idoles devenaient dans ces hilarants monologues de bien comiques héros ! Bref, il a toujours été le boute-en-train de nos feux de camp. »

« J'ai toujours admiré mon ami Paul, poursuit-il. J'aurais aimé posséder ce don qu'il avait de faire rire son entourage instantanément. Philippe Lanois, Roger Trahan et moi avons été ses camarades de jeunesse. La guerre nous a quelque peu séparés. Nous partions fréquemment en vacances au petit lac Magog. Notre but principal était bien entendu de rencontrer les plus jolies filles du monde. Bien sûr, Paul qui voyait toujours grand, lorgnait non pas une, mais deux belles filles de Longueuil. Son admiration sans bornes allait aux jumelles identiques Françoise et Suzanne Duclos. Comme de raison, il ne sortait qu'avec l'une d'elles mais si parfois il se trompait de jumelle, il ne le criait pas sur les toits : "Ben voyons, vous autres ! nous disait-il. Vous savez bien qu'en matière de filles, je ne me trompe jamais !" »

« Souvent aussi, continue Paul, on allait passer des fins de semaine dans les Laurentides. Nous allions faire du ski à Ste-Adèle et à Mont-Rolland. On s'amusait beaucoup. On prenait le *P'tit train du Nord.* C'était le party. Ces wagons étaient éclairés par des lanternes au gaz. Comme nous étions un groupe de jeunes gars entourés de jolies filles, à un moment donné, j'allais éteindre les lumières. Comme vous le pensez bien, j'étais tellement humble que je préférais faire mon show dans la pénombre. À quelques reprises, le préposé aux wagons croyant ne pas avoir fait son devoir rallumait à nouveau les lumières que j'éteignais aussitôt qu'il était parti. Ces rires que je provoquais à tout coup, me valaient de la part de mon public de nombreuses bouteilles de bière. Quand nous arrivions, il y avait tant de bouteilles vides à mes pieds que je ne savais plus où les placer. Vous avez compris, j'espère, que je parle autant des bouteilles que des pieds ! À Ste-Adèle et à Mont-Rolland, nous faisions du ski. Lorsque nous prenions le remonte-pente, je ne sais pas si c'est parce que j'avais trop de bière tombée dans mes pauvres jambes ou si c'était parce que les gens ne voyaient pas mes skis blancs dans la neige, mais il y avait toujours quelqu'un qui embarquait sur mes skis. »

Yves Charlebois explique : « Je m'étais acheté une nouvelle paire de skis. Voyant que Paulo n'en avait pas, je lui ai vendu mes vieux pour une chanson. Comme ils étaient égratignés, je les avais peints en blanc, pour que Paulo les trouve propres et beaux. Au Red Room de Ste-Adèle, endroit de prédilection pour vivre notre repos mérité d'après-ski, Paul montait sur une table et nous racontait à sa manière l'utilité des feuilles des érables dans les arbres, celle des chameaux dans le désert et surtout, la raison pour laquelle on ne portait pas de skis blancs sur les pentes neigeuses de Ste-Adèle. C'étaient de grandes dissertations. »

« Un soir, raconte Paul, dans une salle de danse du Mont-Tremblant, ça faisait un bon moment que l'on dansait des sets carrés quand mon ami Roger Trahan, tanné de voir les gars de la place remettre toujours la même musique dans le *juke-box*, se décida à placer son dix cents pour entendre une belle musique de danse américaine langoureuse, et eut le front d'aller danser avec la blonde d'un gars du boutte. Les amis du gars lésé par Roger, tous sans exception, de grands taupins, de vrais gars de bois, ont traité aussitôt notre ami Trahan de "visage choquant". Nous étions tellement offusqués de voir notre copain ainsi insulté qu'on a prestement foutu le camp ! Mais on a baptisé longtemps notre Roger Trahan de "visage choquant".»

« Le samedi, poursuit Yves Charlebois, nous dansions dans une magnifique salle de danse qui avait vue sur le fleuve, laquelle nous laissait entrevoir la lune placée dans le ciel bleu étoilé que l'on aurait expressément dite là pour cette jeunesse amoureuse de la belle vie longueuilloise. Ce n'étaient pas des sorties ordinaires ! Imaginez toutes ces jolies jeunes filles habillées de robes à crinolines multicolores, enlaçant tendrement leurs partenaires vêtus de pantalons blancs et vestons marine, et dansant au son de beaux airs à la mode interprétés par le trio d'Eddy Delisle. Que de beaux souvenirs ! Par un beau soir d'été, Le Boating Club a servi à notre chum Paul de studio d'enregistrement. Paulo, qui avait gagné plusieurs montres à des concours d'amateurs, avait décidé d'enregistrer sa chanson fétiche, *Il pleurait comme une Madeleine,* accompagné par le trio d'Eddy Delisle. Le Père Hémond lui avait fourni le système de son servant à l'enregistrement. Le produit fini était excellent. Il va sans dire que nous étions tous très fiers de notre ami Paul. Je crois que ce soir-là, nous avons tous compris que Paul Bédard deviendrait un jour une vedette du monde artistique. Fier de son enregistrement, ce soir-là, Paul nous confia : "Mes amis, je me paye cette semaine une voiture Météore décapotable jaune serin. Ah ! Je vois que vous pensez que c'est pour flasher que je l'achète de cette couleur, eh bien vous vous trompez. Premièrement, le propriétaire de la mercerie Gendron, mon ami Réal, me fait un prix plus que raisonnable pour cette auto. Deuxièmement, je n'ai pas les moyens de la faire peindre d'une autre couleur. Voyez-vous mes amis, j'aime bien faire rigoler mon entourage, mais au fond de moi-même je suis un type timide et réfléchi. Surtout, ne riez pas. Pour une fois, je suis très sérieux." »

En 1939, la guerre sépare quelque peu Paul de ses amis. Celle-ci devait au début se restreindre au territoire européen, et ne durer que quelques semaines, mais on se rend rapidement compte qu'elle va s'avérer beaucoup plus longue et difficile que prévu. « Yves Charlebois et moi avons vite compris lorsqu'on nous apprit que notre ami Claude Bret s'enrôlait dans l'armée canadienne. Claude, voyant qu'il n'était pas envoyé assez rapidement en Europe là où la bataille faisait rage, se joignit alors volontairement à l'armée impériale britannique et partit. Malheureusement, il perdit la vie en Hollande, victime d'un franc-tireur allemand. Cette nouvelle nous consterna. Yves Charlebois à son tour fut mobilisé pour l'armée de l'air en Angleterre, mais se retrouva bien vite au-dessus de l'Allemagne. Yves correspondait avec moi assez fréquemment. »

Voici en exemple le contenu d'une des lettres de Yves : « Ma première position dans l'avion, c'est officiellement Air-Sol, c'est-à-dire que je communique aux autorités du trafic aérien notre position sur le front et je signale, s'il y a lieu, les avions alliés ou ennemis qui pourraient nous entourer subitement. C'est une bonne position Je suis assis sous le pilote qui met toujours son paquet de cigarettes dans sa jambière et, je lui en vole une de temps en temps. J'enlève le masque à gaz et une bonne bouffée m'enlève le stress. Mon deuxième titre est *Gunner*, c'est-à-dire mitrailleur. J'en ai fait à l'exercice, mais jamais en fonction à bord d'un avion. Figure-toi donc, Ti-Paulo, qu'un soir, entre deux voyages au front, j'ai écrit à l'endos d'une étiquette de bière à Philippe Lanois qui, paraît-il, travaille dans une usine de guerre à Longueuil : "Bonjour Philippe, comment ça va ? Ton chum Yves." J'ai placé un timbre sur l'étiquette, l'ai foutue dans une boîte aux lettres. Eh bien crois-moi, Philippe l'a bel et bien reçue. »

Paul Berval sourit : « C'étaient des lettres toujours aussi folles les unes que les autres que nous nous échangions Yves et moi durant cette triste guerre. Je lui appris que je travaillais à la Fairchild Aircraft, que nous y construisions des avions, que je faisais aussi des canons à la Dominion Engeanering et que j'étais apprenti machiniste. Je lui racontais aussi à ma manière des tas de farces qui, m'a-t-il dit, le faisaient rire aux éclats. Je côtoyais souvent à la Fairchild notre copain Roger Trahan qui préparait des avions d'entraînement. »

« Lorsque la guerre se termina en 1945, raconte Yves Charlebois, en revenant à Longueuil, j'appris que mon ami Paul habitait maintenant Montréal, qu'il prenait des cours d'art dramatique au conservatoire Lasalle et qu'il jouait de petits rôles à la radio. Je savais que c'était bien parti pour sa carrière. »

Chapitre 2

Le conservatoire Lasalle

En 1939, pour être près de son lieu de travail, monsieur Bédard déménage sa famille au 2208 rue Delorimier, entre Ontario et Sherbrooke, juste en face du stade Delorimier où l'on présente régulièrement de grands spectacles en plein air comme du baseball, du football, des courses automobiles, des rodéos, des cirques, du théâtre, des opéras, et des chanteurs de toutes sortes. À noter que Charles Trenet y fit ses débuts montréalais au beau milieu d'un spectacle de rodéo en 1945. Paul, qui travaille toujours à la Stowell Screw et à la Fairchild Aircraft de Longueuil, économise son argent dans le but de prendre des cours d'art dramatique. Il est influencé par le talent de comédien de son père qu'il a vu jouer à quelques reprises, ainsi que par la réussite artistique de son demi-frère Roland Bédard.

Durant ses temps libres, Paul va aider les gens du stade Delorimier lorsqu'ils préparent un spectacle. Il gagne ainsi quelques sous supplémentaires en prévision de ses cours. « Ne soyez pas surpris de cette aide inusitée car dans mes temps libres, ayant pris des cours d'électricité, explique Paul, j'ai été apprenti électricien. J'aurais aimé être ingénieur électricien, mais ça prenait beaucoup de mathématiques et les chiffres ne m'aiment pas. » Paul se constitue un budget. Il se sert de ses économies pour aller voir le plus de pièces de théâtre possible, et ne manque pas un spectacle à l'Arcade. C'est à cet endroit qu'il verra évoluer sur scène un acteur de France qui a pour nom Berval. Ce comédien l'impressionnera beaucoup. Au théâtre de l'hôtel de ville de Longueuil, il assiste également à quelques spectacles présentés par la troupe de Béatrice Latour. Le travail sérieux et enjoué de ces jeunes comédiens fascine Paulo qui rêve un jour d'en faire autant. Il va en coulisses afin de rencontrer les comédiens, et se lie d'amitié avec Jean-Paul Kingsley, le jeune premier de la troupe, que tous les acteurs surnomment Kiki. Désormais pour Paulo, Kingsley sera toujours son copain Kiki.

Paul trouve un autre moyen de se faire de l'argent dans le monde artistique. Conscient de ses talents vocaux, il se monte un répertoire d'excellentes chansons comiques, s'inscrit à tous les concours d'amateurs qui existent, et passe de nombreuses auditions. Bien sûr, il n'est jamais évident de faire face seul sur scène à un jury sévère en chantant des choses drôles. Aussi, pour s'aider, il s'imagine en train d'exécuter son numéro devant une foule inexistante qu'il doit absolument dérider. Ce truc s'avère généralement fructueux, et il est engagé la plupart du temps. Ces concours d'amateurs sont généralement ouverts au public et ont lieux dans des théâtres connus tels que le Amherst ou le Papineau, puis sont généralement retransmis sur les ondes des postes CKAC et CHLP. Souvent, Paul est l'heureux gagnant du premier prix, soit un montant d'argent ou une montre Bulova. Plusieurs réalisateurs radiophoniques retiennent son nom. Le concours amateur le plus populaire est celui de la *Living Room Furniture* animé par Bernard Goulet. Le grand prix est une montre. Paul en gagne plusieurs qu'il s'empresse de vendre à gros prix, toujours en prévision de ses futurs cours. Il fait part à son père de ses intentions. « Pauvre petit garçon, lui répondra celui-ci, il y a d'autres métiers bien plus payants et plus intéressants que celui de comédien. Mais si tu en as le goût, fonce mais vas-y sérieusement. » Paul lui demande s'il connaît une bonne école de diction. « Va demander ce conseil à mon fils Roland, il est dans le métier depuis longtemps et te conseillera beaucoup mieux que moi. »

Roland Bédard lui suggère le conservatoire Lasalle. Paul a cependant un choix à faire car il existe dans la métropole des professeurs d'art dramatique dont les cours privés sont hautement renommés. Ce sont les écoles de madame Jean-Louis Audet, Sita Riddez, François Rozet, Henri Norbert, Jeanne Maubourg et de Lilianne Dorsen. Le programme d'étude proposé par le conservatoire Lasalle plaît plus particulièrement au jeune Bédard. C'est en effet la seule école du genre à proposer des cours en continuité aussi bien structurés. Le programme comprend des cours de diction, l'étude de la phonétique, l'art oratoire et dramatique, la mise en scène, la lecture à haute voix et la lecture expressive. Bref, toutes les matières pour former un excellent comédien.

Cette institution a été fondée en 1908 par Eugène Lasalle, un Marseillais comédien de carrière arrivé au Canada au début du siècle dernier. Monsieur Lasalle et son épouse eurent une fille mariée à monsieur Georges Landreau, lesquels eurent un fils. Ce jeune homme suivit les traces de son grand-papa et devint très vite à Paris un très bon comédien. Monsieur Lasalle, qui avait besoin d'aide à son conservatoire de Montréal, fit venir au Canada son petit-fils alors âgé de dix-huit ans. Aussitôt le jeune homme installé à Montréal, monsieur Lasalle le nomma directeur du conservatoire.

« Le jour où, en compagnie de mon père, je suis allé m'inscrire au conservatoire Lasalle, relate Paul, je fus accueilli par monsieur Landreau et madame Suzanne Goyette, devenue depuis peu co-directrice de cette prestigieuse école. Suzanne Goyette avait été élève du conservatoire avant de s'y constituer une carrière de plus de cinquante-quatre ans à titre d'enseignante et de directrice. Monsieur Landreau nous expliqua qu'ayant une petite subvention du ministère de l'Éducation dirigé par Sir Omer Gouin du gouvernement du Québec, les cours seraient gratuits, mais que des frais d'un dollar seraient exigés. « Mais si tu ne manques pas un seul cours, mon petit Paul, je te remettrai ton dollar à la fin de l'année, avait-il ajouté. »

Malheureusement, un an plus tard, au début du régime Duplessis, La grande noirceur s'abat aussi sur le conservatoire Lasalle. Le gouvernement du Québec coupe l'heureuse subvention. Georges Landreau et sa directrice décident alors de demander aux élèves un dollar et cinquante par mois. Paul étudiera finalement quatre ans au conservatoire Lasalle. « Pour payer mes cours, explique Paul, je travaillais tour à tour de nuit à la Fairchild Aircraft et à la Dominion Enginaering. Aussitôt mon travail terminé, je me précipitais à mes cours. Après, je dormais quelques heures à la maison paternelle et je retournais en vitesse à mon travail. Ce va-et-vient infernal était bien fatiguant, surtout que ces usines ne toléraient aucun retard, et que je risquais de perdre mon emploi. Mais je voulais absolument apprendre. Mes professeurs étaient messieurs Georges Landreau, Marcel Vléminks, Phil Desjardins, madame Jeanne Maubourg, Henri Poitras et Marcel Chabrier. En 1947, ce dernier avait joué le rôle titre du premier film canadien *Le Père Chopin*. Puis il est mort noyé dans un lac des Laurentides. C'était un bonhomme formidable. Moi, je faisais déjà des imitations. Chabrier parlait quelquefois un peu sur le bout de la langue ce qui faisait rire les élèves, alors hors cours je parlais comme lui. Un jour il me dit : "Dites donc Bédard, il paraît que vous m'imitez, eh bien allez-y, je voudrais bien rire moi aussi." Gêné, je voulais rentrer sous mon pupitre mais me suis finalement exécuté. La classe et Chabrier en ont ri aux éclats. »

« Je devins vite camarade avec Jean-Paul Dugas et Madeleine Sicotte, de poursuivre Paul. Ils étaient entrés presque en même temps que moi au conservatoire. Madeleine, dotée d'un très beau physique et d'une très jolie voix, est rapidement devenue professeure. Aussi, lorsque Georges Landreau est décédé, Suzanne Goyette a pris la succession de ses cours. Elle hérita de trente élèves, mais cette classe était tellement forte qu'elle ne pouvait honnêtement donner satisfaction à ses élèves. Divisant alors la classe en deux, elle confia à Madeleine Sicotte le cours de prose pour ne garder que le programme de vers classiques. »

Plus tard, madame Goyette confiera également à Madeleine les cours d'art dramatique. Ainsi, celle-ci enseignera aux élèves ce qu'elle avait si bien appris avec monsieur Landreau, soit les œuvres de Racine, Corneille et Molière. « J'aimais les enseignements du conservatoire Lasalle, dit Paul, on nous faisait dire les vers. C'était jamais pompeux. On nous apprenait à donner les rimes classiques de façon à ce que les gens comprennent. On nous donnait aussi les moyens d'approfondir le rôle du personnage que nous travaillons. Par les textes d'anthologie dont notre programme était composé, nous avions des révélations sur la qualité de la langue et de la pensée française. Vous savez, l'enseignement classique, on n'en sortira jamais. Il y a de très bons auteurs, mais on n'a pas encore dépassé La Fontaine ni Molière. Comme tout le monde à la petite école, j'avais appris souvent en perroquet les fables de La Fontaine, mais c'était des exercices de mémoire. On n'avait pas saisi la fine fleur de l'esprit qui se dégage de tout ça. Au conservatoire Lasalle, c'était comme une naissance. Nous entrions dans un monde où se traduisait la beauté de la langue française, nous obtenions par nos études la compréhension de nos grands classiques littéraires. Quand tu peux jouer et faire croire à des personnages de tragédie, une fois que tu es capable de débiter quatre-vingt-dix vers de *Phèdre*, tu peux jouer sans difficulté dans n'importe quel sketch radiophonique ou télévisé parce que tu as la formation. À la fin de l'année, les étudiants montaient toujours une pièce de théâtre. J'ai eu le plaisir de jouer du Musset, Tristan Bernard et de grands classiques comme *Athalie*, *Andromaque* et *Phèdre* de Racine. Dans cette dernière pièce, Jean-Paul Dugas, Madeleine Sicotte et moi faisons partie de la même distribution. Durant les répétitions, nous travaillons ferme et sérieusement, mais lorsque arrivait la pose repos, je m'amusais à parodier d'une façon intelligente et comique le texte de Racine. Parfois, j'ai eu l'audace de le débiter en bon canadien. Après avoir bien ri, nous étions prêts à reprendre sérieusement nos répétitions. »

« Les représentations de *Phèdre*, grand classique dans lequel je jouais le personnage de Théramène, eurent un tel succès que nous avons été choisis pour aller jouer à Toronto au concours du Festival national d'art dramatique. Nous étions en compétition avec six autres troupes. À notre grande surprise, le juge Robert Spate déclara *Phèdre* gagnant de ce festival. Madeleine Sicotte et moi étions alors assis dans la salle au balcon. Nous avons manqué tomber en bas de nos fauteuils lorsque nous sommes proclamés les meilleurs acteurs dramatiques de cet important festival. Quand nous avons entendu nos noms ainsi proclamés sur scène, nous ne nous attendions pas du tout à ce grand honneur, aussi c'est au pas de course que nous avons dévalé les escaliers vers la scène afin de prendre possession de nos trophées. Essoufflé et très ému, j'avais peine à parler. Monsieur Landreau, accompagné de son épouse et de ses deux filles Nicole Germain et Michelyne Landreau, étaient tous les quatre fiers et émus de cette gloire qui leur revenait indirectement. Le lendemain, tous les journaux de Montréal faisaient part au public de notre éclatante victoire. Nous étions tous les deux au début de notre carrière. Du jour au lendemain nous étions devenus des professionnels du métier. »

« Je me souviens de la première pièce pour laquelle j'ai été rémunéré, poursuit Paul. Avec les amis du conservatoire, nous avions monté *L'anglais tel qu'on le parle* de Tristan Bernard, et j'avais touché comme cachet cinq belles piastres. En plus, pour vous en mettre plein la vue, j'ai débuté sur Broadway… mais à Lachine en banlieue de Montréal. Roland Bédard, alors réalisateur de *Rue*

Principale, de Édouard Baudry, s'empressa de m'y confier un rôle. C'est la seule fois que je serais aidé par mon illustre demi-frère. »

Ce populaire radio-roman de CKAC est d'une durée de quinze minutes sur les ondes, et passe cinq fois la semaine. Le jeune Bédard, qui n'a que quelques expériences de la scène, trouve au premier abord l'atmosphère d'un studio radiophonique très froide. Il y a heureusement une répétition au préalable afin de permettre aux participants de se placer au bon moment autour du seul gros micro rond placé au centre de la pièce. Dans un coin du studio, une table avec différents objets dessus et un micro plus petit suspendu servent au bruiteur Marcel Giguère. Une porte et une fenêtre soutenues dans un cadre l'assisteront aussi le temps venu. Deux comédiens, textes en main, se donnent la réplique en faisant bien attention de ne pas faire entendre le bruissement des feuilles de papier qu'ils tiennent.

« Nous étions, ce premier jour, huit comédiens à circuler autour de ce micro, raconte Paul. C'était un énervant va-et-vient pour les novices comme moi. Une comédienne prenait la place d'un interprète qui n'avait plus de réplique, puis c'était à mon tour. Je laissais passer un autre comédien, puis je revenais au micro pour une autre scène. Je vous assure qu'il fallait être très attentif pour dire nos répliques au bon moment. De temps en temps on accrochait un texte qui tombait par terre. Oups ! Les feuilles s'éparpillaient. Où est-ce que nous étions rendus ? Heureusement que nous étions en répétition ! Durant l'émission, tout est pourtant allé comme sur des roulettes. Si parfois nous étions plusieurs à nous donner la réplique dans une scène, nous laissions la place aux rôles qui parlaient le plus. Les autres, quelque peu en retrait, se servaient de la méthode de projection de la voix apprise aux écoles d'art dramatique. J'étais payé deux dollars par émission. Cinq jours par semaine, c'est pas mal ! Je fus aussi sollicité par Radio-Canada. Je me suis empressé d'accepter les rôles qui m'étaient proposés, car j'aimais jouer à la radio. J'affectionnais l'idée que les auditeurs puissent imaginer à leur guise l'ambiance, les décors, grâce aux situations dramatiques ou comiques que nous leur proposions en lisant un texte bien écrit autour d'un seul micro. Quel beau miracle que cette technologie des ondes radiophoniques. Aujourd'hui, la télévision et le cinéma rendent paresseuse notre imagination ! »

Chapitre 3

La troupe de madame Béatrice Latour

Tout comme plusieurs artistes, Paul joue dans quelques radio-romans et fait la navette entre CKAC, située au 980 Ste-Catherine Ouest, CHLP qui a ses studios au premier étage de l'édifice Sun Life, juste devant le carré Dominion, et CBF au 1231 Ste-Catherine Ouest, à l'angle de la rue Drummond.

Dans des arénas comme le Stage Exchange et le stade Delorimier, le dimanche, quand il n'y a pas de spectacle de lutte, les propriétaires se servent de ces arènes vides pour présenter des divertissements artistiques comprenant des chansons et des comédies légères. Paul fait souvent partie de compagnies d'artistes comiques chevronnés qui ont pour nom Juliette Béliveau, Juliette Huot, Henri Poitras, Teddy Burns Goulet, Jean-René Coutlé, Jeanne Maubourg et autres. « C'était amusant de jouer un sketch sur une plate-forme de combat de lutte entourée de gros câbles. Inquiétez-vous pas, j'ai jamais chuté ! Le fait aussi de travailler avec du monde tout autour est une aventure bien spéciale. L'atmosphère de ces immenses arénas était bien différente de celle des théâtres conventionnels. On pouffait souvent de rire lorsqu'on entendait par exemple un spectateur nous crier du haut des gradins : "Aye le smat, tourne-toé d'bord si tu veux que j'te voye la face !"

Nous jouions éclairés par de grosses lampes puissantes, placées aux deux coins où s'assoient ordinairement les lutteurs entre les rounds. J'vous dis qu'il nous arrivait d'avaler quelques bibites au cours de la soirée. Ces spectacles se terminaient assez souvent très tard. À ces moments-là, réalisant que je devais être en studio le lendemain matin très tôt, un certain regret m'effleurait d'avoir accepté ces deux engagements si rapprochés l'un de l'autre. Mais je savais intérieurement que si j'étais là ce soir, c'est que j'aimais bien jouer ce genre de comédie. Rendre les gens de bonne humeur c'était pour moi une thérapie. À chaque fois que je provoquais un rire chez nos spectateurs, j'oubliais mes problèmes et je devais certainement, par ricochet, atténuer les leurs. Il arrivait parfois que des gens viennent me voir après un spectacle pour me dire combien je les avais faits rire et que ça leur faisait du bien. Alors j'étais content et j'avais le sentiment d'avoir fait quelque chose d'utile dans ma vie. Je pense qu'on peut apprendre à jouer quelque chose que l'on ressent en soi. Je crois que c'est un don de Dieu. J'adorais faire des blagues et j'en faisais sans cesse. Eh bien, croyez-le ou non, je les faisais presque inconsciemment. »

Mais Paul désire tout de même aborder un répertoire plus sérieux sur scène. Il tente donc, dans cette optique, de se rapprocher de la troupe de Béatrice Latour qu'il admire beaucoup. Jean-Paul Kingsley propose ses services aux patrons de la troupe, monsieur Roch Théoret, mademoiselle Mimi Barabé et madame Béatrice Latour, qui sont au courant de son succès obtenu dans *Phèdre*. Il est immédiatement engagé. La troupe se produit principalement à Montréal, mais rode ses spectacles en tournée à travers le Québec et l'Ontario. Afin que Dieu leur porte chance, Béatrice Latour, qui est une personne très religieuse, leur fait réciter le chapelet tout au long des voyages. Paul découvre avec joie la Gaspésie, mais aussi la Nouvelle-Angleterre, Woonsocket dans le Rhode Island, et Biddéford dans le Maine, où sont installés un grand nombre de Québécois francophones. Dans ces coins-là, lors de leur temps libre, les comédiens profitent de la belle mer bleue d'Old Orchard. Ils voyagent un peu par train, mais plus souvent par mesure d'économie, ils s'entassent à sept dans une grosse limousine inconfortable, ce qui n'est pas toujours facile car les routes de terre souvent boueuses ne sont pas de tout repos. Pour optimiser leurs profits, ils vendent pendant les entractes des programmes de la soirée sur lesquels se trouve inscrit un numéro qui donne droit au tirage d'une belle douillette que madame Latour a obtenue à très bon marché. Toutes les semaines, ils s'arrêtent ainsi à une gare afin de quérir ces fameux prix de présence qu'ils entassent sur le toit de la voiture avec les bagages.

Paul Berval se souvient de quantité d'anecdotes sur cette période : « Un soir, la troupe se trouvait dans une jolie salle de paroisse à Ste-Luce-sur-mer. Le public y accèdait par des portes coulissantes placées sur le côté avant droit de la scène. À gauche complètement, un grand lampadaire à l'huile éclairait avantageusement le théâtre. Le bedeau avait prévu que durant l'entracte, il devait remettre de l'huile dans le luminaire pour permettre au spectacle de se terminer. Ce qu'il ignorait, c'est que je chantais entre les deux pièces. Je me suis donc avancé devant le rideau rouge, et ai interprété avec toute la verve possible *Les lumières de Paris*. Mais soudain, oh ! désastre, voilà que la lumière de la place vacilla et me plongea dans le noir le plus complet pendant que les spectateurs se bidonnaient allègrement. Soudain, les portes coulissantes s'ouvrirent toutes grandes pour livrer passage au curé assis au volant de sa Ford, m'éclairant de nouveau de ses réflecteurs puissants. Grâce au curé qui, malgré cette noirceur subite, n'avait pas perdu les pédales, je pus reprendre avec plaisir ma chanson pleine de lumière. »

La compagnie interprète souvent des mélodrames tels que *Cœur de maman*, *Le mortel baiser* et *La fille au cœur de pierre*. Dans ces campagnes éloignées de Montréal où elle est presque toujours contrainte de se présenter dans les sous-sols d'églises, les artistes doivent souvent changer la morale de la pièce. Un soir, en Gaspésie, ils présentent un mélodrame qui a connu un franc succès au théâtre St-Denis à Montréal et qui s'intitule *La mendiante*. Paul personnifie un gros monsieur qui rigole toujours, jusqu'au jour où il constate que son épouse, rôle créé par Jeanne Demons et repris ici par Berthe De Varenne, le trompe indûment. Paul doit feindre la grande colère du cocu indigné, et chasser sans vergogne l'épouse aux mœurs légères. Mais à cause de la censure religieuse, il faut changer le texte. Il devra donc chasser son indigne épouse Berthe De Varenne parce que celle-ci avouera qu'elle a l'intention de devenir chanteuse d'opéra. « La pauvre Berthe ne pouvait chanter deux notes sans fausser affreusement. Mais le public goba quand même cette raison un peu tirée par les cheveux. »

Berthe de Varenne raconte : « Un soir nous jouions pour les Indiens à Forestville. Durant tout le premier acte, nous avons entendu dans l'assistance d'inquiétants murmures : "brr, brr, brr". Ça venait des quatre coins de la salle. Nous nous sommes tous dits qu'ils ne nous aimaient pas. Une fois le rideau baissé Paul dit donc au pasteur :

– Monsieur le curé, on s'en va d'ici.

–Voyons mes enfants, rétorqua celui-ci, qu'est-ce qui vous prend ?

– Ben, c'est pas intéressant pour nous, ils nous écoutent même pas.

– Mais si, Monsieur Paul, ils vous écoutent attentivement et il vous aiment, mais quelques-uns traduisent vos paroles aux Indiens qui ne parlent pas le français ! »

Paul ajoute : « Dans ces coins retirés, contrairement aux alentours de Montréal, ces pièces tirées de romans radiophoniques ne nous emmenaient que quelques rares spectateurs. Par contre, *Aurore l'enfant martyr*, mélodrame inoubliable, nous faisait un peu combler ces déficits. J'étais dans la vingtaine et je jouais dans cette pièce le rôle du père en compagnie d'une comédienne qui devait avoir autour de soixante-huit ans. On avait beau me maquiller, il était difficile de me vieillir autant. »

Les gens de cette époque n'ont sûrement pas oublié *La passion du Christ* mettant en vedette l'ami de Paul, Jean-Paul Kingsley. Il y a eu, au cours de ces représentations, des fous rires interminables. « Un jour, raconte Paul, Jean-Paul était attaché à la croix, et s'écria comme il se devait : "J'ai soif !", tandis que Pat Gagnon, notre chauffeur, qui faisait aussi un soldat romain, courait partout en chicanant : "Maudit enfer où ce qu'est l'éponge !" Alors le Christ s'est penché et a dit entre ses dents juste pour que les acteurs entendent : "Pourtant, il me semble qu'on ne manque pas d'éponges dans cette troupe!" »

Dans le même esprit, Paul jouera un peu plus tard le personnage d'un soldat qui a pour mission particulière de descendre le Christ de sa croix après sa mort. Pour ce faire, ils se servent d'un linceul. Tout à coup, Paul sent le morceau de linge qui se déchire. Aussitôt, il se met à crier : « Fais un miracle, Christ, si tu veux pas te ramasser par terre. » Inutile de vous décrire l'hilarité de la salle. Paul n'a finalement jamais rejoué le personnage de ce soldat. Un autre soir, Marie-Madeleine, interprétée par Thérèse Mckennan, doit verser du parfum pour laver les pieds du Christ. Malheureusement, une cruche semblable à celle contenant le parfum traîne en coulisse, mais est pleine d'un contenu surnommé shellac. Thérèse, qui s'est trompée de contenant, verse ce liquide collant sur les pieds du Christ. Lorsque Jean-Paul se relève pour marcher, on entend "slash slash slash" sur le plancher. Imaginez le fou rire des spectateurs.

En tournée, à l'exception des têtes d'affiche, les comédiens jouent des seconds rôles. « Nous découvrîmes lors d'une tournée aux États-Unis qu'une jeune et jolie actrice choisie pour jouer le personnage de la Vierge Marie se ponçait au gin avant ses entrées en scène. C'était donc une Sainte Vierge pas mal éméchée qui apparaissait devant le public, et dans cette pièce elle y entrait souvent. Imaginez le trouble que nous avons eu à trouver une autre sainte Marie afin de remplacer cette vierge trop souvent chancelante. »

Lors d'un passage à Valleyfield, la compagnie a le privilège de jouer devant plusieurs évêques réunis là en congrès. Madame Latour donne au jeune comédien choisi ici pour jouer le bon larron les directives suivantes : « Lorsque vous serez en croix près du Christ, sur un signal, vous dites : "Seigneur, souvenez-vous de moi dans votre royaume." » Jusqu'à ce qu'il paraisse en scène, ce qui se présenterait vers la fin du drame, le jeune homme répète son texte à voix basse, dérangeant souvent les comédiens qui attendent près de lui leur entrée sur le plateau. Au moment de son signal, il dit d'une voix grave et théâtrale ces mots dits généralement par le Christ : « Seigneur, pardonnez-leur, ils ne savent pas ce qu'ils font. »

« Nous avons eu bien peur que cette phrase mal placée de la part de notre comédien amateur provoque un désagréable malaise chez les princes du clergé. Mais au grand soulagement de tous, c'est à peine si les messeigneurs ont échangé un regard entre eux. »

Une autre fois, on leur recommandera un comédien qui est en fait un joueur vedette de football. Ils lui expliquent qu'il doit personnifier Barabas et que lorsque Pilate le délivre, il doit sortir de scène le plus rapidement possible. « Vous auriez dû voir notre athlète transformé en taureau s'élancer comme un bolide vers la sortie, bousculant tous les comédiens. Même la bonne Vierge Marie s'était retrouvée les quatre fers en l'air ! Pour une sortie, je vous jure qu'elle était tout à fait remarquable. »

En tournée, les véritables théâtres se faisaient rares et la troupe joue plus souvent qu'autrement dans les sous-sols d'églises. Le curé, qui les engage, fait entrer les gens et collecte à la porte principale le prix des billets. Nos salles sont souvent pleines à craquer, mais lorsqu'après le spectacle les comédiens reçoivent leur dû, ils constatent que plusieurs billets de faveur ont été donnés. Qu'importe ! À défaut d'être niaiseux, les jeunes artistes sont fort charitables. Et de toute manière les vénérables curés sont alors les rois et maîtres de leur salle paroissiale.

Paul se souvient : « Nous étions un soir à Capucin, un petit village retiré. Nous étions obligés de nous maquiller dehors. La comédie jouée ce soir-là, intitulée *Baptiste sort les meubles,* était comique au possible. Durant la première partie du spectacle, pas un son, pas un sourire, pas un applaudissement de la part de notre public. On se demandait bien le pourquoi de la chose. Après l'intermède, comme à l'accoutumée, je suis monté sur la scène et ai chanté mes succès comiques. Rien. Mal à l'aise, j'ai bien pensé tout bas qu'ils étaient sourds, muets ou idiots. De toute façon, la troupe enchaînait le spectacle d'habitude bien reçu. Silence de mort continuel. Avouez qu'il n'est pas facile de travailler dans des conditions semblables. Mais à la toute fin, ô miracle ! nous avons reçu un tonnerre d'applaudissements, suivi d'une ovation debout. Nous n'en croyions pas nos yeux ni nos oreilles. Heureusement, avant notre départ, le curé nous donne la clef du mystère : "Ça fait huit ans, nous expliqua-t-il, qu'il n'y a pas eu de spectacle ici. J'ai donc averti amicalement mes paroissiens que s'ils ne se tenaient pas bien, ça prendrait huit autres années avant de revoir une autre séance dans cette salle." Ainsi, personne n'avait osé bouger avant que le curé ne donne lui-même le signal en applaudissant. »

Paul travaillera trois ans avec la troupe de Béatrice Latour avant de retrouver son complice Jean-Paul Kingsley dans *La passion de Jésus-Christ*, cette fois-ci dans la troupe de Jean Grimaldi.

Chapitre 4

Jean Grimaldi

La Troupe Béatrice Latour perd de l'argent et des spectateurs en jouant en tournée des mélodrames issus de romans radiophoniques, donc moins connus dans ces lieux éloignés de la grande métropole. *La passion de Jésus*, drame biblique par excellence joué uniquement pendant la période de Pâques, est un spectacle à grand déploiement beaucoup trop onéreux pour être joué en un si court laps de temps, et par une troupe sans grandes têtes d'affiches. Même si ce sujet en or attire de nombreux spectateurs, les jeunes comédiens ne peuvent s'offrir un tel déficit. Même le populaire spectacle d'*Aurore l'enfant martyr* ne réussit plus à renflouer leur entreprise. Un jour, Jean Grimaldi assiste au spectacle de ce drame vécu afin d'y voir jouer le jeune Paul Bédard qui lui a été recommandé par quelques-uns de ses jeunes comédiens. Dès le début de la pièce, il remarque le talent indiscutable du jeune homme et il est assuré que ce garçon est apte à remplir différents rôles de type dramatique, fantaisiste ou comique. Il l'engage immédiatement. Grimaldi ne sera pas déçu de sa nouvelle trouvaille. En bon Corse qu'il est, Jean reprend à ses frais les spectacles de la troupe de Béatrice Latour, soit *Aurore* et celui de la *Passion* mettant en vedette Kiki dans le rôle titre.

Cette passation s'effectue au beau milieu de la guerre 1939-1945. « Avant de partir en tournée, raconte Paul, nous donnions une série de représentations de la petite *Aurore* au théâtre Le Canadien, situé rue Ste-Catherine Est, et propriété de notre nouveau patron. Le personnage principal était joué par Thérèse Mckennan, tandis que Lucie Mitchel interprètait de façon magistrale l'horrible marâtre. Pour ma part, je jouais encore le rôle du père que je maîtrisais très bien. Lors de mes premières apparitions à Montréal, on pouvait lire en grosses lettres sur les affiches publicitaires : Paul Bédard, le frère de Roland Bédard. Ce n'est pas que je n'aimais pas mon demi-frère, mais j'aurais bien voulu être apprécié pour moi-même. J'avais aussi appris qu'il y avait un autre Paul Bédard dans l'Union des artistes. J'en ai parlé à Jean Grimaldi qui me dit, employant son patois préféré : "Cacarisse, mon cher Paulo, change tout simplement de nom et prends celui d'un vieil acteur connu en France par exemple." Je trouvais l'idée bonne, et j'ai pensé aussitôt à Berval que j'avais déjà admiré au théâtre Arcade. Paul Berval ! Pourquoi pas ? Il fallait juste que je me montre digne de ce nom. »

Petit moment de silence, puis Paul poursuit son récit: « Durant cette première à Montréal, Papa Alonzo est décédé. La mort dans l'âme, je me suis résigné à ne pas me rendre au salon mortuaire. Comme on dit en américain : *The show must go on* ! Après cette série de spectacles d'*Aurore l'enfant martyr*, dont les critiques furent élogieuses, nous sommes partis pour une longue tournée.

Il faut dire que Jean Grimaldi n'est pas un novice en matière de gérance. Employé par madame Édouard Bolduc en 1927-1928, il avait été nommé par cette populaire chanteuse, gérant de sa première tournée artistique à travers la province de Québec, de l'Ontario et du Nouveau-Brunswick. Il racontera plus tard : « Madame Bolduc voulait se rendre jusqu'à son village natal de Newport en Gaspésie où ses disques se vendaient, paraît-il, à profusion. Comment cela se faisait-il puisqu'en ces lieux reculés l'électricité n'existait pas encore ? La réponse, nous l'avons obtenue une fois rendus sur place. Le propriétaire du magasin général possédait un tourne-disque à manivelle et faisait jouer pendant toute la journée des 78 tours de leur petite Mary Travers devenue avec le temps la première auteure de chansons canadiennes, et en plus une grande vedette nommée madame Édouard Bolduc. Tous les gens des villages avoisinants venaient écouter ces *records*, comme on disait dans le temps, et les villageois les plus argentés en achetaient ainsi que des tourne-disques appelés à cette époque gramophones. Une vraie petite fortune pour le propriétaire de ce magasin général. »

« Cette tournée dans ce superbe coin de la Gaspésie a été excessivement difficile mais combien riche pour moi. Il faut s'imaginer l'aventure de partir entassés à huit dans une grosse et inconfortable automobile Packard. Les valises personnelles, les costumes et les pancartes de publicité étaient entassés sur le toit de la voiture. Nous tirions une roulotte ouverte contenant tous nos meubles et décors. Sur des routes boueuses, nous avions souvent des crevaisons et il y avait des chemins sur lesquels nous ne roulions que très difficilement. La nuit, il y avait une artiste qui s'assoyait sur le devant de la voiture avec une lampe de poche pour nous montrer le chemin. Les journaux et les véritables théâtres n'existaient pas. Cependant, les curés étaient contents de voir passer dans leur paroisse une troupe de comédiens de Montréal qui, avec des pièces et chansons comiques, venaient divertir leurs paroissiens. Surtout, flairant l'argent qu'il y avait à tirer de ces situations nouvelles dans leur patelin, ces bons représentants de Dieu sur terre se disaient heureux de faire notre publicité ! À la grand-messe du dimanche, durant le prône, on annonçait que la fin de semaine suivante une grande troupe d'acteurs de Montréal mettant en vedette madame Édouard Bolduc viendrait les faire rire, danser et chanter. Le prix de dix sous pour avoir le privilège de s'asseoir sur les bancs de l'église et cinq sous pour les gens qui apportaient leur chaise, était hautement proclamé. »

En ce temps-là, les salles paroissiales n'existaient pas, et je crois que nous avons été les premiers à donner l'idée aux curés d'en créer. Nos spectacles se déroulaient donc dans les églises à la lueur d'une centaine de cierges et lampions, ce qui avait, il faut l'avouer, un certain charme. Quelquefois, nous trouvions une église éclairée par une lampe à gaz, ce qui était moins commode, car il arrivait qu'au milieu de notre représentation l'éclairage se mît à baisser si considérablement qu'on ne voyait plus les acteurs sur scène. C'est alors qu'un monsieur préposé à l'éclairage se levait, pompait vigoureusement la lampe coupable environ cinq minutes, jusqu'à ce que la scène soit à nouveau bien éclairée. Laissez-moi vous dire que ça dérangeait un peu les spectateurs mais aussi les acteurs, surtout s'ils étaient en train de jouer une belle scène d'amour ou sur le point de faire découvrir à la foule haletante le dénouement d'un moment très dramatique. Souvent, dans des villages sans église, nous jouions en plein air l'après-midi. Les villageois apportaient leurs bancs et leur cinq sous, et nous avions l'avantage de ne pas avoir à séparer nos gains avec un curé. En matière de publicité, nous posions tous ensemble des pancartes et des banderoles dans les villages que nous devions visiter. Vous auriez dû voir la mère Bolduc grimpée sur le toit de la Packard accrochant une large banderole entre deux lampadaires à gaz ! Madame Bolduc avait même loué un petit avion et son pilote afin de laisser tomber dans différents villages des papiers sur lesquels nous pouvions lire : "Regardez en haut, c'est moi madame Bolduc qui vous annonce que la semaine prochaine je chanterai dans votre paroisse. Venez nous voir en grand nombre." Cette tournée en Gaspésie, pas toujours rose, a duré deux mois. »

« Après la province de l'Ontario, nous nous sommes retrouvés au Nouveau-Brunswick dans une petite ville plus moderne nommée Edmonston, située à la frontière de la Nouvelle-Angleterre. Nous y avons découvert un charmant théâtre local. Nous étions engagés à y jouer un soir mais, à notre grande surprise, nous avons fait salle comble et avons été forcés de refuser du monde. Je me suis renseigné pour savoir d'où pouvaient venir tous ces gens. On m'a dit qu'il s'agissait de Franco-américains de Madawaska, dans le Maine. N'oublions pas que notre spectacle était entièrement joué en français. Vu la grande demande de billets, nous avons dû rajouter trois jours à guichet fermé. Voulant aller plus loin dans la francophonie, j'ai profité de ce temps qui m'était subitement accordé pour me rendre en voiture jusqu'à Lewiston, dans le Maine ; j'ai traversé ensuite le New Hampshire et le Massachussetts, et suis finalement entré dans la ville de New York. Je loue évidemment tous les théâtres disponibles sur mon chemin, je fais une publicité monstre de nos représentations en affichant des pancartes et banderoles dans toutes ces villes américaines. Cette première tournée, qui ne serait pas la dernière, se termina en grand succès, New York étant la cerise sur le *sundae*. »

Fort de toutes ces connaissances, Jean Grimaldi entreprend de nombreux autres voyages artistiques après ceux de La Bolduc. « Ma tournée au sein de l'équipe de Jean Grimaldi, dit Paul, m'a tout à fait été bénéfique. Premièrement, quel travail professionnel ! Je gagnais ving-cinq piastres par semaine. Je pouvais, avec ce salaire, envoyer un peu d'argent à ma famille. Nous étions souvent deux semaines dans le même village. La première semaine, nous présentions *Aurore* et la seconde semaine la *Passion du Christ*. Pour assister à nos représentations, les gens payaient vingt-cinq sous pour les billets réservés, et quinze pour des billets sans réservation. Nous jouions en matinée et en soirée du samedi au vendredi suivant. Donc, après le spectacle, le vendredi soir, on commençait à répéter pour la représentation du samedi après-midi. Puis nous prenions une semaine pour nous rendre à la ville voisine. Dès notre arrivée, nous installions nos décors, répétions un peu, et prenions un peu de repos. Nous en avions besoin car les routes, d'un village à l'autre, même quelque peu améliorées, étaient encore longues et sinueuses. Durant ce temps de guerre où sévissait le rationnement de caoutchouc si, par malheur, nous bousillions un pneu usé et déjà réparé, je vous assure que c'était vraiment un cauchemar pour en trouver un neuf. Il fallait aussi se battre et payer le gros prix pour avoir de l'essence. Comme nous voyagions souvent la nuit, il fallait peinturer nos phares à moitié afin de respecter la noirceur dans les villes après le couvre-feu. Bien sûr, en Gaspésie nous jouions encore dans des églises et des salles paroissiales, mais il y avait aussi quelques théâtres. Malgré tout, nous jouissions d'une bonne publicité dans les journaux outre le bouche à oreille fait par les curés. »

Un soir, alors que la compagnie se produit à l'église de Cloridorme, village situé tout près de Rimouski, le curé dit aux comédiens, après la représentation : « Vous savez qu'est-ce qu'on avait ce soir comme spectateurs ? La salle était pleine d'Allemands débarqués d'un sous-marin afin de venir voir votre spectacle. Ils sont effrontés ces boches ! Ils viennent se ravitailler de provisions dans nos commerces. Les gens en ont peur mais ils les servent quand-même. » Souvent, après leurs spectacles, les artistes se rendent d'ailleurs sur la plage, et y observent des sous-marins ennemis faire surface et replonger dans l'océan. Pendant la journée, par contre, ils aperçoivent des navires de guerre anglais. Ils en profitent pour se rendre à leur bord afin de s'acheter en contrebande des cigarettes *Craven A from England.*

Et Paul de poursuivre, souriant : « Nous avions grand plaisir à travailler ensemble. Nous allions rarement au restaurant. Pour nos repas, nous mangions et prenions un coup en coulisse. Je vous dis que ça donne du pep pour jouer ! Mais c'est en jouant *La Passion de Jésus-Christ* que nous avons le plus de plaisir. Il faut dire que pour la grande distribution de ce drame biblique, nous étions environ une dizaine à nous partager chacun quatre ou cinq rôles. Je jouais celui du grand prêtre, de Joseph d'Arimathie, d'un centurion, ainsi que celui du bon larron. On se changeait rapidement de barbe, on mettait un autre manteau ou une cape de centurion à la hâte et, pour personnifier le bon larron, j'étais à moitié nu. Un jour que j'étais d'ailleurs sur la croix, à droite de Jésus et de la Sainte Vierge Marie, supportée par Saint-Jean à nos pieds, je sentis que l'épingle à couche que j'avais attachée en vitesse afin de tenir mon pagne en place se détachait et mes deux bras attachés ne pouvaient rien pour sauver la situation. Heureusement, Saint-Jean, interprété par Gérard Cadieux, a réalisé prestement que ce pagne allait dévoiler sous peu mes parties intimes. Pour éviter ce drame scandaleux, il quitta instantanément l'étreinte de la mère éplorée de Jésus, et mit la main sur le morceau de linge vagabond, me sauvant ainsi d'un *striptease* qui aurait sans doute fait couler beaucoup d'encre ! Le fou rire de la salle nous prouva de toute évidence que les spectateurs n'étaient pas dupes. J'avais beaucoup de plaisir à travailler avec les comédiens réguliers qui entouraient notre Jésus (Jean-Paul Kingsley). Il s'agissait de Jean Duceppe, Lucien Thériault, Denise Pelletier et Denis Drouin qui, en centurion, était parfois remplacé par Paul Desmarteaux. Il y avait aussi Lucie Mitchel qui jouait à l'occasion le personnage de la Vierge Marie. Ce qui était drôle, c'est que la semaine suivante, nous retrouvions Lucie en la personne de la méchante marâtre. Souvent, des gens peu habitués au théâtre, l'attendaient après le spectacle pour la frapper. Nous prenions alors soin de la faire sortir par la porte arrière. Il fallait à cette comédienne beaucoup de talent pour se transformer en très peu de temps en deux personnages si différents l'un de l'autre. »

« J'avais conscience que nous formions vraiment une équipe du tonnerre... Parlant de foudre, ça me rappelle la scène lorsque le Christ remet son âme à Dieu le Père. À ce moment, un violent orage éclate et le ciel s'assombrit considérablement. Pour produire le bruit du tonnerre qui gronde, le régisseur faisait vibrer au moment voulu un très grand morceau de tôle suspendu en coulisses. Un soir, Jésus en croix a commencé son agonie ; le public, pris par le magnifique jeu des comédiens, entendit avec angoisse la voix du centurion qui disait : “Si tu es vraiment le fils de Dieu, fais un miracle.” Au même moment retentit un violent coup de tonnerre au-dessus du théâtre. Jean-Paul Kingsley releva instinctivement la tête vers un ciel que l'éclairage n'avait pas encore assombri, et laissa tomber calmement cette phrase : “C'est pas le temps là !”, créant ainsi une détente générale ponctuée de rires jaunes, puisqu'il s'agissait d'un violent orage qui venait d'éclater à l'extérieur du théâtre. »

Paul Berval est intarissable tant ses anecdotes sur ces tournées sont nombreuses. Il poursuit : « La ville de Sherbrooke regorgeait de jolies filles. Jean Grimaldi, grand connaisseur, avait fait le choix d'une belle brunette afin de personnifier Sainte Véronique. Il lui expliqua par ces mots le travail qu'elle devait effectuer : "Vous prenez ce voile-ci, le Christ vient de tomber, vous passez devant lui, et vous lui mettez le saint suaire sur la figure. En regardant ensuite le morceau de linge, vous vous retournez et vous criez : C'est un miracle ! La figure de Jésus de Nazareth y est imprimée !" Mais le soir, en scène, la jeune fille eut le trac et, lorsque le Christ croûla sous le poids de sa croix, elle ne passa pas devant lui comme il se devait. Dans un élan, elle appliqua le voile sur les foufounes de Jésus, puis se relèva chancelante et s'écria : "C'est un miracle !" devant une foule délirante de rires. Le grand rideau rouge, croyez-moi, s'est vite fermé… »

« À Thetford-Mines, en matinée, un figurant personnifiant le bourreau de Jésus avait fouetté Jean-Paul et bien joué le jeu. Avant la représentation du soir, Jean Duceppe, Denis Drouin et moi avons dit au jeune homme à peu près ceci : "Ben non, mon gars ! Jean-Paul Kingsley est habitué dans son rôle du Christ à se faire fouetter. Tiens, prends cette corde avec des nœuds, puis ne fais pas juste semblant." À la représentation du soir, notre jeune comédien n'y alla pas de main morte. Si bien que le Christ lui tomba dans les bras et lui murmura à l'oreille : "Es-tu en train de devenir fou espèce d'innocent ?" Le bourreau, décontenancé, lui expliqua : "Ben, vos amis m'ont dit que tu étais habitué et capable d'en prendre." Je ne peux pas vous dire ce qui s'est passé par la suite, parce que nous avions tous les trois vite disparus en coulisses, trouvant ce jeune homme un peu trop costaud pour l'affronter après ce coup pendable. »

« Jean Grimaldi nous disait toujours d'attendre après le spectacle pour fêter. En bon directeur, il nous surveillait et nous trouvait bien sages de déguster tranquillement du coca-cola avant nos entrées devant le public… Jusqu'au jour où, assoiffé, il me vola mon verre et prit une grosse gorgée de ce qu'il croyait être une simple liqueur. Il s'étouffa dangereusement en découvrant du même coup la supercherie du *rhum and coke*. Jean, en bon gars qu'il était, nous pardonna vite, mais nous donna un bon avertissement en disant : “Cacarisse, les gars, ne recommencez pas !” »

De retour à Montréal, la troupe s'installe au théâtre Le Canadien, surnommé le Petit Canadien de Grimaldi, endroit qui peut accueillir sept cents spectateurs. Les représentations de revues musicales, toujours différentes d'une semaine à l'autre, sont tellement populaires que Jean laisse entrer des gens que l'on place sur des chaises ajoutées. Il y a aussi du monde debout, et une assistance régulière de mille quatre cents personnes. La loi défend d'accepter des gens debout et Grimaldi paye souvent l'amende, mais il a prévu un budget pour ce genre d'inconvénients. La production musicale présentée en début de spectacle, et changée toutes les semaines, dure environ une heure. Paul se sent bien petit auprès de grandes vedettes telles que Paul Thériault, Paul Desmarteaux, les clowns Joseph et Wildor, Hector Pellerin, Manda Parent, Juliette Pétrie et des danseurs nommés Rémy et Kelly, Reynaldo, ou Jean Paul. Ce dernier est l'époux de Muriel Millard. Alys Robi est déjà une grande vedette internationale. Londres, qui lance alors la télévision en Europe, l'invitera à son émission d'inauguration. Sont aussi présentes Jeanne d'Arc Charlebois, sensationnelle imitatrice, et ces jolies chanteuses que sont Lilianne Dawson et Aline Duval. Sans oublier Olivier Guimond, Ti-Zoune junior et son père le premier Ti-Zoune. Paul se trouve encore aujourd'hui très chanceux d'avoir travaillé auprès de toutes ces grandes figures.

« Cet homme était pour moi tout un music-hall à lui tout seul, dit-il de Ti-Zoune. Il chantait, dansait le *tap dance*, était un virtuose de la musique à bouche, jouait la comédie et était un mime clown extraordinaire. Pour moi, c'était un homme d'aussi grand talent que Charlie Chaplin. Quel comique merveilleux ! Je vous dis que j'ai pris des leçons de travail en lui donnant la réplique et en le regardant agir sur la scène. »

Après la revue musicale, composée de chansons romantiques et comiques, le tout enrobé de magnifiques décors et de flamboyants costumes, un artiste terminait la première partie des représentations. Il pouvait s'agir de noms magiques comme Tino Rossi, Lucienne Boyer, Marjanne, Rina Ketty, Luis Mariano et Charles Trenet. Durant l'entracte, les chanteurs de la revue vendent le programme du spectacle et les partitions des chansons américaines traduites en français qui ont été entendues lors de la revue musicale du début. Ainsi, quelques piastres se rajoutent aux salaires. Puis les comédiens retournent sous les réflecteurs afin de jouer un sketch comique. C'est un peu la *commedia dell'arte*. Jean Grimaldi donne les grandes lignes de base du dit sketch. En voici un exemple : « Toi, Juliette Pétrie, tu fais la mère fofolle, Berval fait le père, Aline Duval qui veut pas entendre parler de ce chum imposé par papa, Jean-Paul Dugas, tu seras ce jeune représentant pas fin fin. Manda Parent, la môman qui veut placer son fiston dans cette famille riche. Toi, Olivier, le serviteur bavard et menteur, puis Juliette Béliveau, la cuisinière qui rapporte tout de travers et mélange tout le monde. L'histoire commence comme ceci mais pour la finir, forcez-vous la tête pour y trouver une fin comique. Le sketch doit durer vingt minutes, pas plus. » Malgré ces explications pour le moins restreintes, les numéros s'avèrent généralement assez géniaux. Puis un sketch comique de dix minutes devant le rideau donne le temps pour préparer le drame de la fin. Souvent, Paul chante entre les deux pièces quelques chansonnettes de son répertoire.

En 1948, Grimaldi fait découvrir de nouvelles vedettes à son public. Les Paolo Nœl, Roméo Pérusse, Claude Blanchard, Jean Lapointe, Pierre Thériault, Yvan Daniel, Margot Lefebvre en font partie. Paul est demandé ailleurs pour d'autres spectacles. Il travaillera à présent au grand écran dans *Le gros Bill* et *Les lumières de ma ville*, et vivra une étape marquante de sa vie professionnelle et personnelle avec les Variétés Lyriques.

Chapitre 5

Des planches au micro

Paul raconte : « Je rêvais depuis un bon moment de faire partie de la troupe nommée l'Équipe, fondée par le comédien Pierre Dagenais. Les pièces *Altitude 3200* de Julien Luchaire ainsi que *Marius, Fanny et César* de Marcel Pagnol qu'il avait montées avaient, par leur succès de presse, révélé au public de Montréal les grands talents de ce metteur en scène, directeur de théâtre et talentueux acteur. Par ricochet, Pierre Dagenais nous fit découvrir des vedettes montantes : Gilles et Denise Pelletier, Ginette Letondal, Robert Rivard et Robert Gadouas. Pourquoi n'aurais-je pas été de ce nombre ?

Mon désir devient réalité lorsque Pierre Dagenais m'offre de faire partie de la distribution de *Le diable s'en mêle*, un spectacle extraordinaire basé sur une légende de Baie-St-Paul, et bien entendu destiné à être joué sur place. Outre la figuration, le spectacle comprenait une vingtaine d'artistes en scène. Jean Coutu campait le personnage principal et dramatique de Corbeau noir. Pierre Dagenais interprétait celui de Satan. Nous retrouvions dans la distribution les noms de Juliette Huot, Albert Duquesne, Jean Lajeunesse, Denis Drouin — comique à souhait dans son interprétation de l'ivrogne —, Gisèle Schmidt, Marjolaine Hébert, et j'en oublie sûrement. Ce spectacle honorait le 300e anniversaire de la fondation de Baie-St-Paul. »

Les artistes répètent quelques jours à Montréal, puis très vite ils arrivent dans ce beau coin de pays qu'est Baie-St-Paul. Une magnifique scène de soixante-quinze pieds par environ quarante-cinq pieds de profondeur les y attend. Ils y travaillent quinze jours ferme avant de jouer devant le public.

« C'était un très beau spectacle, disait Jean Coutu. Nous l'avons repris à Montréal dans les jardins de L'Ermitage où, malheureusement, nous avons été victimes de nombreux soirs de mauvais temps. À Baie-St-Paul, j'avais découvert en la personne de Berval un excellent copain. On a eu du plaisir ensemble. Il me faisait rire ; il avait le don de m'impressionner. Toujours gai, de bonne humeur, fantaisiste, il avait sa façon bien à lui de me rendre joyeux moi qui étais souvent d'un naturel morose. Dans ces moments-là, je l'appréciais grandement, et j'avais grand plaisir à le côtoyer. Sans être de grands amis, on a toujours été, par la suite, des gens qui s'aimaient bien. Plus tard, j'ai retrouvé Paul à quelques occasions, au programme radiophonique *Radio Carabins*. Là encore, je n'oublierai jamais ces grands moments de rigolade entre nous. »

Après *Le diable s'en mêle*, Pierre Dagenais donne du travail à Paul dans une pièce de l'auteur tchèque Mollenar, qui écrit un genre de théâtre auquel les Canadiens ne sont pas encore habitués. Berval fait aussi partie du grandiose spectacle *Le songe d'une nuit d'été* de Shakespeare. Cette fois-ci, il n'a qu'un tout petit rôle. Avec soixante personnes en scène, le spectacle est fabuleux mais, à cause du mauvais temps, le public n'est pas au rendez-vous. Ce spectacle, si merveilleux soit-il, et monté sans subvention, s'avère finalement un monumental échec monétaire pour Pierre Dagenais qui manque d'aller en prison pour dettes non payées. En effet, les comédiens et les costumes sont à payer, et les taxes provinciales sont très élevées. La population a bien crié à la honte mais, nos deux gouvernements en place n'ont pas levé le petit doigt pour venir en aide à ce bonhomme que Paul considère toujours comme l'un des plus grands metteurs en scène et directeurs de théâtre de notre temps.

En 1947, la sérieuse société Radio-Canada diffuse enfin sur les ondes de CBF une émission humoristique intitulée *Radio Carabins*. Après l'avoir écoutée à quelques reprises, Paul se dit : « Voilà un programme radiophonique comique dans lequel je pourrais exceller. » Il rejoint par téléphone le réalisateur Paul Leduc et lui dit : « Mon nom est Paul Berval. Je suis un acteur comique qui chante des chansonnettes humoristiques et je crois que je peux avoir ma place dans une émission comme la vôtre. » Monsieur Leduc lui répond : « Écoutez jeune homme, j'ai entendu parler de vous. Venez nous rencontrer, moi et le directeur des textes Laurent Jodoin et, si vous nous faites rire, nous vous engageons. » Paul est aussitôt engagé et se joint à ces jeunes comiques du moment que sont Roger Garant, Jean Gascon, Guy Coutu, Jean-Maurice Bailly, Jean Coutu et Jean-Louis Roux. L'émission passe sur les ondes une fois par semaine et est enregistrée devant un public, d'abord à la salle de L'Ermitage, rue Guy puis, plus tard, au cinéma Champlain, situé sur la rue Ste-Catherine au coin de Papineau. L'humour touchant le quotidien comme la politique garantit à l'émission un succès populaire. Au début, Laurent Jodoin donne à lire à Berval des textes non dramatiques mais tout de même assez sérieux. Assez habile dans la formule *ad lib*, celui-ci place imperceptiblement quelques mots ou phrases comiques qui font rire l'auditoire. « Ben quoi ! Cette émission est comique ou pas ? », pense alors le jeune homme.

De nombreuses chansonnettes humoristiques parodiant les faits et gestes des politiciens sont souvent interprétées par le groupe. Paul a même à quelques moments le loisir de chanter seul ses chansons humoristiques. Il en possède d'ailleurs un assez bon répertoire. Un jour cependant, alors qu'il interprète une chanson à cinq couplets qui raconte l'histoire tragique d'une triste fillette, Paul Leduc, trouvant la chanson trop longue, en enlève deux couplets. « En ondes, raconte Paul, les gens n'ont jamais compris ce que la chanson voulait dire. Vous comprenez bien qu'elle n'avait plus ni queue ni tête. Imaginez ! La petite fille vient au monde, elle soupe, pis elle meurt ! C'était précisément dans ces deux couplets du milieu, maladroitement amputés par Paul Leduc, que l'on expliquait l'essentiel de la chanson. »

À l'occasion, des vedettes de la chanson canadienne comme Lise Roy, Lucille Dumont, Rolande Desormeaux, Robert L'Herbier, Muriel Millard, Jacques Normand, ou Fernand Robidoux font une apparition à l'antenne toujours fort remarquée. Sur une musique de Laurent Jodoin, Roger Garant écrira même les paroles d'une chansonnette qu'il interprètera en duo avec Guy Coutu, et qui a pour nom : *Pourquoi les petits cochons ont-ils la queue en tire-bouchon ?* Ce succès devient si important sur les ondes de *Radio Carabins* que RCA Victor le grave sur disque 78 tours. Cette chansonnette fait de toute façon déjà partie du répertoire de Paul.

L'émission durera quatre années et accueillera de grandes vedettes internationales. Pour préparer les présentations effectuées à *Radio Carabins* et dans d'autres émissions radiophoniques, le journaliste Phil

Laframboise aide régulièrement Berval à trouver les différents thèmes de ses chansons. Par exemple, pour le programme *Le chant des silhouettes* diffusé sur les ondes de CBF, celui-ci a besoin, à un moment donné, d'une chanson de marin. Laframboise lui constituera une cassette de douze chansons de marine. « En plus d'être cet excellent journaliste qui évitait toujours les sujets à scandales, Phil était un bonhomme qui rendait service à tous les artistes. »

Le cabaret du Faisan doré voit le jour en 1949. Les frères Marius et Edmond Martin de Marseille, ainsi que Frank Cotroni, un homme d'affaires bien connu des Montréalais, s'associent pour créer sur la rue Ste-Catherine, entre les rues St-Dominique et le boulevard St-Laurent, un cabaret où l'on présente des spectacles comme on peut en voir à Paris. Jacques Normand, le célèbre chanteur fantaisiste, est choisi pour animer ces soirées typiquement européennes. Le populaire accordéoniste Émile Prud'homme vient de Paris, accompagné de son batteur Dédé Pastor, d'une charmante diseuse nommée Louise Rivière, et de Jean Rafa, un auteur de chansons à succès interprétées en France par le très populaire Bourvil. Jean Rafa popularisera d'ailleurs à Montréal la formule de la fameuse chanson expresse.

Jacques Normand, en furetant dans différents clubs de nuit de l'ouest de Montréal, découvre au sélect Quartier Latin deux jeunes duettistes parisiens absolument inconnus ici, mais qui donnent un spectacle époustouflant sous le nom de Roche et Aznavour. Jacques, qui entre-temps a appris que ces deux gars sont des protégés d'Édith Piaf, leur propose de venir présenter leur tour de chant au Faisan Doré. Ils s'y installent, et bientôt le public de Montréal adopte d'emblée ces jeunes artistes français. Pierre Roche raconte : « Nous composions tous deux nos chansonnettes. C'est très curieux parce que moi qui ai fait mon baccalauréat et ma philosophie, je faisais de la musique sans connaître mes notes. Je ne savais pas lire la musique, alors qu'Aznavour qui faisait trois fautes d'orthographe au moins par ligne, écrivait les textes. Entre les spectacles, nous montions au troisième étage du cabaret, et Charles écrivait ses textes alors que moi, sur un petit piano blanc qui faussait, j'inscrivais la musique appropriée aux poèmes de Charles. C'est ainsi que *Retour* et *Tu t'laisses aller*, dédiées à Jacques Normand, ont vu le jour. Je me souviens aussi de *En revenant de Québec*, *Les filles de Trois-Rivières* et *Du Pep*, celle-ci spécialement écrite pour le copain Rafa. Je pense aussi à *J'aime Paris au mois de mai* parce qu'il y avait une chanson américaine qui s'appelait *I like New York in June*. »

Un jeune chanteur canadien âgé de seize ans deviendra la coqueluche du cabaret. Il se nomme Fernand Gignac et la chanson *Maître Pierre* sera son grand succès. Pierre Roche découvre également une fillette de quinze ans nommée Josette Delonchamps. Pour son tour de chant au Faisan Doré, elle porte le nom de Josette France. Afin d'obtenir la permission de chanter dans un club de nuit de Montréal, ces deux jeunes artistes doivent, selon la loi, être accompagnés d'un parent, et n'ont pas la permission de se promener dans la salle du cabaret hors scène. Pierre Roche obtient le droit de protéger la jeune fille. Les parents qui lui font confiance, n'ont plus besoin d'assister tous les soirs aux deux spectacles dont le dernier se termine la plupart du temps aux petites heures du matin. Pierre se fiancera à Josette France et, un an plus tard, en fera son épouse. Celle-ci deviendra plus tard Aglaé, mais ceci est une autre histoire…

Le chanteur de charme Fernand Robidoux et la découverte de Jacques Normand, Monique Leyrac, seront fréquemment en vedette au populaire café de nuit, d'où sortira la célèbre composition de Jean Rafa et Émile Prud' homme, *Les nuits de Montréal*. Un public nombreux se presse dans ce temple de la chanson française. Les artistes qui jouent dans les différents théâtres et clubs de la grande métropole, après leur spectacle, vont finir la soirée au Faisan doré. Paul Berval est de ces adeptes réguliers. On les surnomme « les faisants de bruit ». Remarqué par Jacques Normand, Paul a la joie de dérider, à différentes occasions, cette assistance toujours nombreuse. Il faut dire que le Tout-Montréal est fidèle à ces fameux rendez-vous et le Faisan Doré est toujours plein à craquer. Les quotidiens *La Presse*, *Le Devoir* et *Montréal Matin* écrivent souvent d'élogieux articles sur ce temple du rire et de la bonne humeur. André Roche, journaliste français arrivé à Montréal en 1948, rédige régulièrement d'excellentes critiques sur les spectacles de ce cabaret pour les hebdomadaires *Photo-Journal* et *Le Petit Journal*. André et son épouse Ginette Letondal, vedette radiophonique et cinématographique qui tient le rôle principal dans le premier film canadien *Le Père Chopin* tourné en 1947, sont des spectateurs assidus du Faisan Doré.

Des artistes français de passage à Montréal tels que Charles Trenet, Andrex, Georges Guétary, Clairette, Lys Gauty et autres viennent après leur spectacle respectif finir la soirée au Faisan Doré. Le bouche à oreille fonctionne et, à la dernière représentation de la soirée, il y a autant de spectateurs, sinon plus, qu'au premier lever de rideau. Petit fait amusant à signaler : les deux jeunes hommes qui débarrassent les tables de leurs nombreuses grosses bouteilles de bière vides, et changent les cendriers, ont pour noms Jacques Blanchet et Raymond Lévesque. Pour ces deux jeunes auteurs de chansonnettes, travailler à cet endroit représente beaucoup car il s'agit d'une véritable école du music-hall. Paul Berval devient, pour sa part, un excellent ami de Monique Leyrac. Il ignore encore qu'un événement bien particulier les réunira prochainement sur le grand écran cinématographique.

Profitant du passage de Jean Rafa à Montréal, Radio-Canada diffuse une émission humoristique le mettant en vedette. Paul Berval y campe aussi un personnage loufoque surnommé Professeur Verbal, un bonhomme manquant de sérieux qui fait des monologues tout simplement pour amuser les auditeurs. En voici un petit aperçu : « Je vais vous entretenir d'un sujet particulièrement profond, bien que considéré généralement comme plutôt léger : la femme. Je ne m'attarderai pas aux considérations physiques ou métaphysiques. Non. Je m'occuperai aujourd'hui uniquement du côté historique de la question. La femme à travers les âges… pas à travers les siens évidemment. À travers les bouleversements sociaux, nationaux, mondiaux, bouleversements, quoi. La première femme célèbre est bien entendu notre mère à tous, madame Ève, dont l'histoire est suffisamment connue pour que nous ne voyions pas l'utilité de vous la rappeler. Notons au passage que le vieil adage *une pomme chaque matin chasse le médecin* ne lui a pas réussi. Dans ces temps reculés, nous trouvons une abondance de femmes célèbres à titres divers. Nobles et saintes femmes, ou gourgandines. Ne nous y arrêtons pas. La mythologie grecque, l'histoire romaine frimouill… froum… frim… froum. Y'a ben des femmes aussi là-dedans. Qu'il nous suffise de citer au passage la trop malheureusement fameuse Agrippine, la maman de monsieur Néron, qui, entre parenthèses, n'était pas gentil gentil. Y faisait de gros feux d'artifice avec les maisons de la ville et y jouait des gigues sur son violon pendant que ça flambait. Mais elle n'était pas mieux : ambitieuse, sans scrupules, elle tuait ses maris. Bel exemple à donner au p'tit Néron ! Alors, lui, il a voulu la tuer à son tour. Du ben méchant monde ! Mais malgré tout, Racine lui a donné un rôle dans une pièce. Elle faisait pitié à ce moment-là. Moi je l'ai vue, la pièce. Y'avait rien pour s'habiller ! Elle, madame Agrippine, était entourée dans des draps de lit. Même pas de souliers. Mais ça non plus, ce n'est pas le genre de femme dont je veux vous parler. Non. Je veux consacrer mon étude de ce soir aux femmes inconnues qui, par leur présence, leur ténacité, leur volonté et leur courage, ont réussi à changer la face du monde, et ben souvent aussi la face de leur mari. Nous ne les citerons pas dans l'ordre chronologique, mais en vagabondant au hasard de notre fantaisie. La scène se passe en 1482, à Florence. Il est 7 heures 30. Le jeune Da Vinci se met à table dans la cuisine. Jioconda Da Vinci dit à son mari, Léonardo, en servant le spaghetti quotidien : "Tou penses pas, cara mio qu'y serait temps qu'on fasse un peu de ménage et qu'on repeinture la cuisine ?" »

« Léonardo est bricoleur, ça l'amuse. Alors le lendemain, il commence à mêler les restants de pots de peinture qu'il avait dans la cave. Et le même lendemain, ô surprise, un génie est né. Laissez-moi vous donner un petit conseil, mesdames. Que serait-il arrivé si madame Da Vinci avait simplement dit: "Tiens Léonardo, demain je fais venir un peintre pour arranger ça ?" Rien ! Donc, le monde aurait perdu un génie. Alors mesdames, imposez des tâches à vos maris et peut-être qu'en lavant le plancher, qui sait si le frottement du coton de la vadrouille contre le bois ne leur suggérera pas un nouveau théorème thermonucléaire capable de changer la face du monde ? Nous pourrions citer mille autres cas semblables. La femme a toujours été le point de départ des grandes choses. Ô femmes ! Continuez à inspirer aux hommes les traits de génie dont ils sont coutumiers. »

Le chanteur fantaisiste Jean Rafa partage avec Yolande Roy, notre *miss* humour, la chronique *Les Rafactualités.* « Yolande Roy, dit Paul, c'était une belle voix de chanteuse. Excellente animatrice, elle joue aussi tous les rôles comiques des sketches qui faisaient partie de notre émission.

De toute façon, tous les artistes qui faisaient partie de cette distribution étaient comme Yolande, c'est-à-dire aussi polyvalents. Je pense à mon ami Pierre Thériault, clown, comédien et chanteur fantaisiste, qui interprétait à merveille des chansons canadiennes de Lionel Daunais. Gérard Berthiaume, avec qui j'ai étudié au conservatoire Lasalle, était l'annonceur officiel de l'émission et jouait aussi la comédie. Quelquefois, il devait annoncer des choses sérieusement. Moi, pour le taquiner, je passais côté contrôle et par la grande vitre qui nous séparait du studio, je lui faisais des grimaces et cinquante-six simagrées pour lui faire perdre son sérieux. Sans avoir bronché, il sortait alors du studio en criant après moi : "Va-t'en ! T'es pas raisonnable ! Fais moi pas ça !" Je lui répondais le plus sérieusement du monde : "Écoute, mon petit Gérard, je veux mettre un peu d'humour, car ce que tu dis est triste comme un enterrement!" Puis, tout à coup, il éclatait de rire et me criait : "Chenapan, disparais ! Tu ne changeras jamais !" Il me pardonna toujours parce que nous étions en réalité d'excellents copains. Il y avait aussi Denis Drouin qui deviendrait plus tard mon merveilleux partenaire. Pierre Beaudet était l'excellent pianiste de cette émission *Souvenirs à gogo* dirigée par Guy Baulne. Celui-ci était également réalisateur de grandes émissions dramatiques à CBF, professeur d'art dramatique, directeur de théâtre, et animateur. Il a notamment réalisé *La famille Plouffe* à la radio et à la télévision. »

Charles Aznavour, Josette France et son inséparable Pierre Roche font souvent partie de cette émission. Un jour, Paul est invité avec ces trois personnages à un souper chez Henri Deyglun. Pierre Roche raconte : « En arrivant là, il y avait quatre personnes qui étaient déjà attablées. Il s'agissait du fils d'Henri, Serge Deyglun, de Raymond Lévesque, et d'un couple que j'avais aperçu au Faisan Doré mais qui ne m'avait pas encore été présenté. Je n'attendais donc pas que Rafa ou Berval nous présente. Serrant la main du monsieur, je lui dis :

– Je suis Pierre Roche.

L'homme répondit à mon salut :

– Je suis André Roche, depuis peu l'époux de Ginette Letondal. Vous êtes parisien je présume ?

– Oui, répondis-je.

– Moi aussi. De quel quartier êtes-vous ?

– Du neuvième arrondissement.

– Ah ! Moi aussi, c'est amusant, s'écria-t-il, visiblement surpris. Dans quelle rue ?

– Rue Pierre-Sémart.

– Moi aussi. Quel numéro ?

– J'habite le 8.

– Et moi le 2 !

Nous n'en revenions tout simplement pas. On était porte à porte à Paris et on se rencontrait pour la première fois ici, presque au bout du monde. Et en plus on se nommait Roche tous les deux. Mon Dieu que la vie a parfois d'amusantes coïncidences ! »

En 1950, Paul reçoit un téléphone de Jean-Yves Bigras, réalisateur à Radio-Canada, qui étudie alors le scénario d'un film musical dû à la plume de Jean-Marie Poirier. « J'ai un beau rôle dramatique pour toi, lui explique-t-il. Tu joueras le rôle du pianiste de Monique Leyrac. Très amoureux d'elle, tu seras remplacé dans son cœur par Guy Mauffette. Huguette Oligny fera aussi partie de la distribution ainsi que Maurice Gauvin. La musique et les chansons sont de Pierre Pétel. » Paul accepte avec joie une telle proposition. L'œuvre en question se nomme *Les lumières de ma ville*, et sera le troisième film canadien tourné au Québec après *Le Père Chopin* et *La forteresse* mettant en vedette Nicole Germain, Paul Dupuis et Jacques Auger, films qui ont tous obtenu un franc succès populaire. La réalisation de Bigras est sobre et belle. Monique Leyrac, excellente comédienne qui avait fait des débuts remarqués à l'âge de treize ans dans le théâtre radiophonique *Le chant de Bernadette*, rend à merveille les trois chansons de Pétel intitulées : *Jardin d'automne*, *Mon cœur est plein de langueur* et la chanson titre *Les lumières de ma ville*. Le public n'est pas habitué à voir Paul Berval interpréter un personnage dramatique. La critique est cependant élogieuse. Berthe de Varenne, qui a joué avec lui à ses débuts, est emballée par son jeu sobre et dramatique : « Je suis fascinée de voir mon ami Paul Berval tant nous émouvoir dans ce film, lui que je connais comme un comique qui ne cesse de nous faire rire autant à la radio, au théâtre que dans la vie privée. Il est magnifique dans la scène finale où on le voit comprenant qu'il a perdu la femme qu'il aimait. Il est assis au piano, sans geste, sans rien, désespéré. Le film se termine sur cette image pathétique. Bravo Paul. »

« En revoyant ce film, raconte Paul, je me dis que c'était quand même, pour l'époque, un bon film. Jean-Yves Bigras dirigeait bien ses comédiens et nous n'avions pas à recommencer souvent les mêmes séquences. Je me souviens cependant d'une scène entre Maurice Gauvin et moi, où il y avait quelques problèmes techniques et là, on reprenait souvent notre texte. Je pense qu'on était rendu à dix prises. Moi, buvant supposément un whisky, j'avais du coca-cola dans mon verre. Maurice, lui, ingurgitait de la vraie bière. Au bout de dix verres de coke, j'avais peine à avaler une nouvelle gorgée. Mon ami Gauvin continuait avec ses bières et ne semblait pas incommodé. Quelle constitution ! J'ai bien aimé tourner dans ce film, espérant en faire un autre par la suite. Le cinéma, c'était plus payant qu'au théâtre, où je recevais vingt-cinq piastres par représentation, et que dans les clubs de nuit qui ne me rapportaient que soixante-quinze dollars par spectacle. De ce point de vue-là, je ne pouvais que dire "Vive le cinéma !"»

En 1951, Roger Rolland, réalisateur à Radio-Canada, offre à Berval de faire partie d'une émission nommée *Carte blanche*, laquelle est diffusée le samedi soir à sept heures trente sur les ondes de CBF. Paul doit travailler avec André Roche, Eloi de Grandmont, Fernand Séguin, et Jean Mathieu avec lequel il avait partagé les bancs de la petite école. En 1938, ils étaient tous les deux à l'école Meilleur, et voilà qu'ils se retrouvent ensemble dans une émission de textes sérieux, mais à laquelle on peut apporter un peu de fantaisie. Leur travail consiste à parodier des faits sérieux de la vie de tous les jours et de caricaturer verbalement des personnages importants de notre quotidien politique et artistique, comme Jean Lesage, Jean Drapeau, René Lévesque, François Rozet, Henri Norbert, Maurice Duplessis, Jean Duceppe, Paul Dupuis, ou Gratien Gélinas. De quoi les amuser tous les deux tout en distrayant le public parfois trop sérieux de Radio-Canada !

Roger Rolland raconte : « En1951, c'était la grande noirceur, sous Duplessis. Par contre, à Radio-Canada, il y avait une belle liberté qui régnait parce que c'était encore petit. La télévision n'avait pas encore débuté. J'étais au service des causeries. Je réalisais *Les idées en marche* et quelques émissions sérieuses. J'avais aussi fait une parodie des *Idées en marche*, mais cela n'a jamais été diffusé. Çe fut enregistré *in petto* avec un technicien complice sur un grand disque spécialement conçu pour diffusion (le ruban magnétique n'existait pas encore). La parodie en question circulait dans tous les services. Je fus alors convoqué chez Marcel Ouimet, le grand patron, et j'aperçus mon enregistrement sur son bureau. J'avais peur de me faire passer un savon, mais ce fut l'inverse qui se passa parce qu'André Roche, Fernand Séguin et Éloi de Grandmont avaient déjà proposé à Marcel Ouimet une émission humoristique. Ouimet me demanda si je voulais réaliser ce type d'émission. C'est comme ça que tout a commencé. Je me suis alors empressé d'engager ces deux excellents humoristes qu'étaient Paul Berval et Jean Mathieu. Remarquez qu'il y avait beaucoup de rigueur dans la préparation des textes, mais une fois en studio, évidemment, il s'agissait de s'amuser. Il faut pas s'en cacher, parfois nos deux rigolos Mathieu et Berval étaient un peu indisciplinés, comme le raconte Paul aujourd'hui à sa grande honte. Et moi, je l'avoue, je prenais plaisir à les laisser faire. mais dans l'ensemble on travaillait dur tout en s'amusant. »

André Roche poursuit : « Peu de temps après mon arrivée au Canada, j'étais devenu un bon copain d'Éloi de Grandmont, qui était scénariste d'un futur film canadien intitulé *Le gros Bill*. Dès le début, Éloi avait choisi mon épouse Ginette Letondal pour faire partie de la distribution de ce projet, ce qui nous rapprochait davantage. Nous avions un ami commun, l'avocat Marcel Robitaille, le père de Bernard, correspondant de *La Presse* à Paris, et qui fréquentait beaucoup de gens de la radio. Un soir que nous étions invités chez lui, nous avons rencontré Fernand Séguin. Une véritable sympathie est née et nous nous sommes revus très souvent. C'est au cours de ces multiples rencontres que l'idée de *Carte blanche* a vu le jour. Nous allions souvent en jaser au Faisan Doré, qui était le rendez-vous de tous les gens qui aimaient s'amuser, danser, et surtout, qui nous permettait de voir des chanteurs français comme Roche et Aznavour, et de rencontrer l'inamovible maître de cérémonie Jacques Normand, un des pionniers de la chanson française de l'époque, et humoriste de toute première grandeur.

Notre projet de *Carte Blanche* n'était pas plus de faire une émission humoristique que de faire une espèce de petit magazine léger qui comprendrait une vulgarisation scientifique amusante ainsi que des papiers d'humour, des papiers d'atmosphère sur le cinéma, la littérature, les arts et autres. Je me souviens que le premier papier que j'ai fait, c'était un portrait du peintre Borduas, que j'avais été voir dans sa maison. L'humour est venu dans cette émission par Roger Rolland. Notre émission est allée au service des causeries, et non pas au service des variétés, tout simplement parce que c'était une série de causeries que nous proposions de faire, même si elles avaient une allure plaisante. Et quand Roger s'est amené avec son disque et que nous l'avons mis dans l'émission, nous sommes entrés immédiatement dans une formule qui nous obligeait, à la queue de chaque émission, à faire une parodie, une imitation, une partie humoristique. Et peu à peu, c'est l'humour qui a fini par gagner à peu près toute l'émission. Mais en fait, s'il n'y avait pas eu le disque de Roger Rolland, il n'y aurait jamais eu d'humour dans *Carte blanche*. Merci à Roger Rolland, ainsi qu'à Jean Mathieu et Paul Berval. Disons quand même que *Carte Blanche* était une émission sérieuse assaisonnée d'un zeste d'humour, très mordant au niveau des attaques politiques. Parfois assez mordant pour qu'il y ait des protestations ! À un moment donné, Marcel Ouimet est venu voir Benoit Lafleur, directeur de notre section, et lui a dit : "Dorénavant, tu vas lire tous les textes et tu vas éliminer ce qui peut être inconvenant." Mais Benoit avait laissé ce jugement à notre discrétion. »

« C'était formidable comme équipe, avoue Paul Berval. Pour Radio-Canada, c'était une nouvelle forme d'humour qui enchantait ses auditeurs. Pour l'époque c'était vraiment quelque chose d'extraordinaire. Il n'y avait aucune émission dans aucun poste qui pouvait se permettre de faire ça. C'est un des beaux moments de ma vie artistique. »

En novembre 1952, Paul fait partie de la pièce *Le corsaire* de Marcel Achard, présentée au Théâtre du Nouveau Monde. Il y campe l'amusant personnage de Cristobal n'a-qu'un-œil. Jean Gascon, Jean-Louis Roux, Roger Garceau, Jean-Louis Paris, Denise Dubreuil, Marthe Mercure et Guy Hoffmann forment cette brillante distribution.

Un peu plus tard, le T.N.M. lui demande de nouveau de jouer dans une comédie d'Albert Husson intitulée *Le Système Frabrizzi*. La pièce raconte l'histoire d'un curieux personnage qui emprunte à trente pour cent d'intérêt, et prête à trois pour cent. Gabriel Gascon est responsable de la mise en scène, et il choisit des comédiens et des comédiennes que l'on a peu vus sur les planches de ce théâtre. Georges Carrère est l'inspecteur Paco, Jacqueline Rhéault, madame Varella, Jacques Lorrain joue le boucher Caducchi, Henri Norbert est Monseigneur Ottavia. Patrick Peuvion, Fausto Amato, et Isabelle Jean, Amélia. Antonio Fabrizzi met en vedette Albert Millaire, et Paul joue le rôle du commissaire. Le banquier Sardi est joué par André Muller. Ce dernier est nouvellement nommé directeur de la section française de l'École nationale de théâtre. Il remplace Jean-Pierre Ronfard qui a accepté des fonctions en France à l'Institut national d'éducation populaire. Marcel Sabourin est, pour sa part, l'adjoint du nouveau directeur.

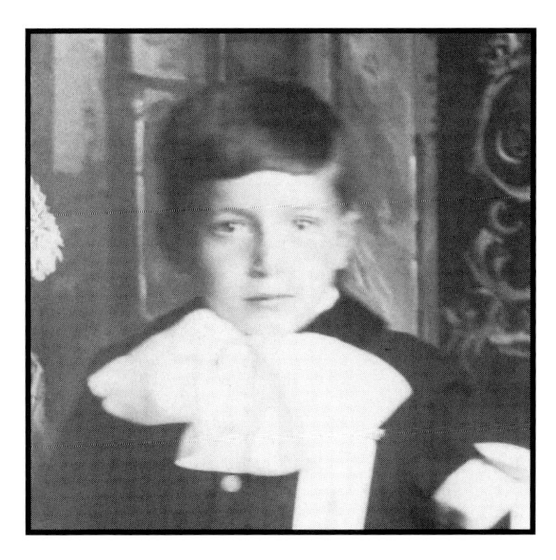

Ti-Paulo en premier communiant.

Paul Berval en compagnie de sa soeur, et complice, Marie-Anne.

Le film *Lumières de ma ville* fut le premier long-métrage musical réalisé au Canada.

Dans les spectacles des *Variétés Lyriques*, Paul Berval eut la chance de partager la scène avec de grandes vedettes comme Olivette Thibault.

L'équipe de la revue du *Diable à quatre*, avec notamment les comédiens Christianne Breton, Gilles Pellerin, Olivier Guimond, Paul Berval, Denis Drouin et Roger Joubert.

Une autre revue exceptionnelle, celle de *Pique à tout*, avec Gilles Pellerin, Olivier Guimond, Denis Drouin et Paul Berval.

Deux hommes qui ont beaucoup marqué la vie de Paul Berval : Monsieur Jean Drapeau (en haut) et Monsieur Jean Coutu (en bas) avec lequel il a collaboré pour l'émission *Radio-Carabin*.

Un spectacle que l'on ne présente plus tant il a marqué les Québecois.

Les quatre principaux comédiens du *Beu qui rit* : Denis Drouin, Jean-Claude Deret, Paul Berval et Jacques Lorrain.

Paul Berval et un partenaire des plus originaux, le sensuel Jean Guilda, dans la revue *Marie-Antoinette* au Café Saint-Jacques.

Paul Berval épouse Simone Mercille. Denis Drouin est son témoin.

Les tout-débuts de la télévision canadienne se sont accompagnés d'émissions phares comme *Music-Hall*, animée par Paul Berval et Élaine Bédard.

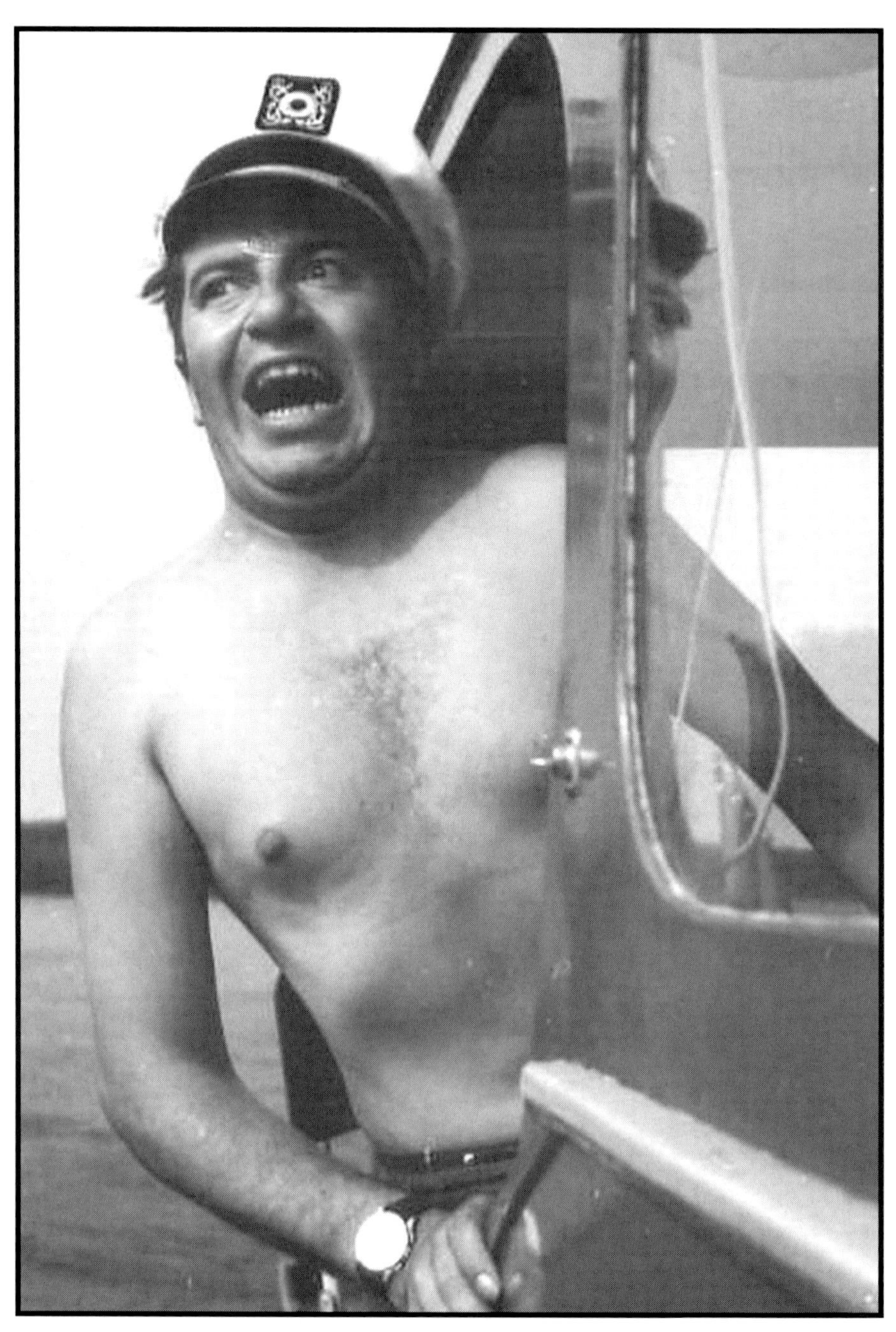

Même en privé, Paul Berval a toujours mis le rire en avant. Ici, sur son bateau, il se prend pour le Pirate Maboule en personne.

Une émission bilingue qui a fait rire de nombreux Québécois, *Excuse my french*.

Une belle photo de famille de l'équipe de *La branche d'olivier*. On y distingue notamment Olivier Guimond, Denis Drouin, Claude Michaud, Jean-Marie Lemieux, Roland d'Amour et bien sûr, Paul Berval.

Paul Berval reçoit un trophée pour son interprétation historique de Fred Cailloux dans le dessin animé *Les Pierrafeu*.

Chez Denise, une des dernières séries télévisées marquantes dans laquelle Paul Berval jouait aux côtés de Roger Joubert.

En 1984, l'émission *Avis de recherche* avait réuni plusieurs collaborateurs importants de Paul Berval, dont Gaston L'Heureux, Aline Desjardins, Jacques Lorrain, Denise Filiatrault, Dominique Michel et Roger Joubert.

Lors d'un gala, Paul Berval en compagnie de Jérome Lemay, du regretté Jean Grimaldi et de Francine Grimaldi.

Chapitre 6

Les Variétés Lyriques

Le travail au sein de l'Union des artistes comble Paul Berval. Faire en même temps du cabaret et de la radio, du cinéma, du théâtre comique et sérieux, est des plus passionnants. Mais son métier de chanteur léger ou amuseur public, ne le satisfait pourtant pas complètement. Il souhaiterait chanter autre chose que des chansonnettes humoristiques, aussi prend-il la décision d'aller passer une audition devant Charles Goulet et Lionel Daunais, les directeurs des Variétés Lyriques. Le pire qui pourrait lui arriver, après tout, ce serait de ne pas y être accepté. La première saison de ce théâtre d'opérettes, qui se produit au Monument National, remonte à 1936-1937, et ils vont depuis de succès en succès. Les billets se vendent à la saison. Le nouveau rêve de Paul est donc de jouer aux Variétés Lyriques. Pour lui, l'opérette est un mot gai et plein de souvenirs, un dérivatif agréable de la belle musique qu'il aime. Á la maison ses parents fredonnaient sans cesse des airs de pièces classiques. L'opérette est une forme de théâtre qui a toujours fort bien convenu à son tempérament. La musique d'opérette n'exige pas du public une grande connaissance, ni une attention soutenue ; elle a surtout le don de rendre les spectateurs joyeux et pleins d'entrain. En proie à un trac fou, il auditionne devant messieurs Goulet et Daunais, et est accepté. Il faut dire qu'en plus de sa voix bien placée, le fait d'être un comique reconnu a sans doute fait pencher le oui tant convoité dans la balance. « Aussitôt que nous trouverons un personnage à votre convenance, lui dit monsieur Goulet, nous vous aviserons. »

Dans l'attente, son ami de l'émission *Carte Blanche,* Éloi de Grandmont, le convoque au tournage du film *Le gros Bill* mettant en vedette un jeune et beau garçon nommé Yves Henry, Juliette Béliveau la merveilleuse comédienne, Ginette Letondal, Paul Guèvremont, Amanda Alarie, Monique Chailler, et Roland Bédard. Paul intègrera cette dynamique distribution. Ce sera la seule fois qu'il partagera le grand écran avec son demi-frère. Le film est bon, mais n'obtiendra pas la critique attendue.

« Lorsque j'ai connu les dates de mes trois premiers engagements aux Variétés Lyriques, raconte Paul, voyant que j'avais un peu de temps libre, je suis allé faire un petit voyage à Paris question de voir ce qui s'y faisait dans le domaine de l'opérette. Je n'ai pas regretté ce séjour d'étude. J'ai vu comment les gens travaillaient en France, et je ne me sentais pas du tout inférieur. J'ai vu plusieurs spectacles et ai constaté que les mises en scène manquaient d'innovations, et que l'interprétation des rôles principaux était souvent terne. J'ai constaté à nouveau que j'avais amplement raison lorsque j'ai joué pour la première fois sous la direction de messieurs Daunais et Goulet. »

En 1950, Paul a la joie de faire partie de la distribution de *Monsieur Si Bémol*, une opérette en deux actes et dix tableaux de Raymond Vincy, avec une musique de Francis Lopez, et mettant en vedette Adrien Adrius qui chante *Signor Spaghetti*. Celui-ci est entouré de Thérèse Daly, Olivette Thibault, Rose Rey-Duzil, Jacqueline Plouffe et Lionel Daunais. Paul est très impressionné de travailler avec tous ces grands noms de l'Union des artistes. Heureusement pour lui, l'extraordinaire pianiste Colombe Pelletier, l'officielle répétitrice des Variétés Lyriques, l'aide beaucoup. Elle comprend rapidement qu'il lit un peu la musique, mais que c'est surtout par l'oreille qu'il mémorise ses chansons. Elle dispose déjà d'une grande expérience, car elle est la pianiste attitrée de Louis Quilico et de Richard Verreau. *Monsieur Si Bémol* obtient un grand succès. Paul aura le plaisir, quelques années plus tard, de voir à Paris ce même spectacle supposément amélioré sous le titre de *La route fleurie*. Adrien Adrius y est en vedette tout comme il l'avait été à Montréal, et Georges Guétary joue le rôle qu'avait tenu Lionel Daunais au Québec. « Je vous assure qu'au point de vu spectacle et mise en scène, Montréal n'a pas à être jalouse ! », pense encore Paul.

En septembre et octobre 1951, Paul Berval est invité à faire partie de l'opérette *Princesse Czardas*. La vedette principale, Lysette Chevalier, est parisienne et interprète le personnage de Sylva. Jacqueline Plouffe est Stasi, Edwin est joué par Lionel Daunais, Henri Poitras campe le personnage de Nico et Jean Duceppe est magnifique dans la peau du prince. Paul Berval est considéré comme une véritable révélation dans son interprétation de Boni. Jean Goulet dirige l'orchestre, son fils Charles Goulet est le responsable de la mise en scène, et Lionel Daunais en est le directeur artistique. *La Presse* donne une excellente critique du spectacle *Princesse Czardas* et parle avantageusement de Paul Berval : « Nous découvrons en cet artiste un comique désopilant. » L'article ajoute : « Paul Berval, dès le début des années 50, est devenu un atout précieux pour les Variétés Lyriques. Il a débuté en tant que comédien en 1950 dans *La veuve joyeuse* de Franz Léhar, et puis il y eut cette sept centième représentation des Variétés Lyriques avec une reprise de *Victoria et son hussard*, un brillant spectacle qui mettait en vedette Sophie Charuque, Louis Bourdon, Olivette Thibault, et Paul Berval qui y apportait une note très joyeuse. Pour ce qui est de *Princesse Czardas*, l'interprétation de Paul Berval dans Boni est excellente. Ce jeune homme est un fantaisiste-né, mais il faudrait toutefois le prévenir contre l'abus de ce grand atout, non qu'il exagère, mais que même de très bons comiques se laissent prendre au piège. Mais, qu'est-il arrivé ce jour où Lysette Chevalier et Paul Berval on fait une excursion dans nos cidreries du Québec ? Comme on ne connaît pas le fin mot de l'histoire, contentons-nous de dire que Paul est bien chez lui à l'opérette, que son emploi du temps y est extrêmement bien rempli, et que nous espérons le voir dans une douzaine d'autres opérettes. Paul Berval se complaît fort bien aux Variétés Lyriques, une forme de théâtre qui convient parfaitement à son tempérament. »

Charles Goulet raconte : « Paul Berval, depuis qu'il est avec nous, est devenu un atout précieux pour les Variétés Lyriques. Il se révèle être un comédien de grand talent, ayant un public déjà conquis. Il est issu d'une famille de grands talents si je pense à son demi-frère Roland Bédard et à sa sœur Marie-Anne qui fait partie de nos chœurs. Elle a une voix magnifique. Lorsque Daunais et moi avons engagé Paul, nous savions que nous faisions un bon coup, et jusqu'ici, nous sommes fiers de le compter dans nos rangs. Mais dans l'œuvre de *Princesse Czardas* où il excelle, un certain soir, j'aurais bien voulu l'étriper ou encore, j'aurais voulu le voir disparaître, car il nous en a fait voir de toutes les couleurs. »

Que s'était-il passé ce soir-là ? Laissons Émile Genest nous en parler : « Un beau matin d'automne, nous travaillions, Berval et moi, à Radio-Canada. Notre boulot s'étant terminé à onze heures, Paul me proposa d'aller manger au fameux restaurant spécialisé en fruits de mer Chez Desjardins. Nous buvions l'apéritif lorsque Paul aperçut alors, attablée près de nous, la vedette de *Princesse Czardas*, madame Lysette Chevalier.

– Viens, me dit-il, je vais te présenter cette grande vedette française qui fait partie de l'opéra de Lyon.

– C'est en effet une grande artiste, lui dis-je.

– Bien sûr, me répondit-il, elle mesure six pieds et plus.

Les présentations faites, nous avons jasé quelque peu, et la jolie dame se dit bientôt enchantée de me rencontrer. Ce qui flatta, vous le pensez bien, mon ego. Le temps était beau, le soleil brillait, et nous lui avons proposé de lui faire voir nos magnifiques paysages colorés d'automne en Estrie. La balade était plaisante, et nous lui avons suggéré de goûter à notre cidre canadien. Paul connaissait quelques cultivateurs qui produisent ce nectar exquis. Nous avons finalement goûté à tous les cidres qu'on nous offrait. Après avoir exploré plusieurs caves, nous avons acheté six bouteilles chacun. Sur le chemin du retour, nous avons pique-niqué en dégustant toutes nos bouteilles. Je ne sais pas si vous y avez pensé mais en arrivant à Montréal, nous étions joyeux, pour ne pas dire éméchés. Je travaillais au Forum le soir, madame Chevalier, et Paul à l'opérette. Paul, qui a beaucoup de métier, a pas mal improvisé ce soir-là, paraît-il. À un moment donné, dans l'opérette, même si ça n'avait rien à voir, Paul décida d'imiter Gratien Gélinas dans son rôle de Fridolin. Le public s'est bien bidonné, mais Charles Goulet un peu moins lorsqu'il entendit Paul, vers la fin du spectacle, faire l'éloge du décor en disant : “Regardez comme c'est magnifique ! On dirait que tous ces beaux meubles viennent de la maison Woodhouse !” Cette fois-ci, c'était au tour de Lionel Daunais de pester contre Paul car les meubles, il les avait lui-même choisis au magasin de meubles Bélanger. Heureusement que Paul n'allait pas tous les jours dans les cidreries du Québec. »

Paul raconte : « C'est durant cette même opérette que je fus victime d'une grippe monumentale. Durant deux semaines, entre le premier et le deuxième acte, le médecin vint me donner une injection afin de m'aider à conserver la voix jusqu'à la fin du spectacle. Le médicament m'aidait bien, mais je trouvais la situation difficile à gérer. Il fallait tout de même que nous jouions en direct ! »

« Marie-Anne, ma grande sœur, qui chantait régulièrement dans les chœurs de nos spectacles, se voyait confier, à l'occasion, d'intéressants rôles. Un jour, je me suis retrouvé jouant son amoureux ! Nous chantions en duo et passions à différents moments de la valse classique à la danse amoureuse. Taquin comme je le suis, je profitais de ces moments tendres pour lui murmurer tout bas à l'oreille : "Écoute, 'tite sœur, si tu continues à me tâter impudiquement comme ça, à soir, j'm'en va l'dire à môman pis a va te chicaner." Ainsi, à chaque fois que l'occasion se présentait, je lui en sortais de semblables. Bien entendu, je provoquais chez elle un fou rire, qu'avec son grand talent et sa maîtrise de soi, elle savait contrôler rapidement. En revanche, elle me donnait tant de petits coups de pied aux mollets qu'ils en étaient, les pauvres, pleins de bleus fort douloureux. De plus, Charles Goulet, qui n'était pas dupe et voyait bien mes anodins mais disgracieux petits manèges envers ma charmante frangine, me servait après le spectacle une sévère semonce qui ne m'empêchait pas de recommencer à la moindre occasion mes folles taquineries. Qui aime bien châtie bien. »

« Les Variétés Lyriques, nous dit Lionel Daunais, ç'a été la porte ouverte pour plus de deux cents grands noms. Plusieurs ont fait le tour du monde comme Léopold Simoneau, Pierrette Alarie, Caro Lamoureux, André Turp qui a chanté dix ans au Covent Garden, Yoland Guérard qui dans *South Pacific* a été une vedette sur le célèbre Broadway de New York. Nous engagions, outre les chanteurs, d'excellents comédiens dont quelques-uns avaient un don certain pour la chanson. Je pense à Jeanne Maubourg qui avait été la partenaire de Caruso en Europe. Et Olivette Thibault, comédienne hors pair qui danse. Pensons aussi à des artistes comme Denise Pelletier, Juliette Huot, Guy Hoffmann, Guy Mauffette, Yvette Brind'amour, Jean Coutu, Edgar Fruitier, Rita Bibeau, Fred Barry, Henri Poitras, Albert Duquesne, Juliette Béliveau, et Jean Duceppe, devenu un comédien extraordinaire. À ses débuts, c'était un garçon nerveux qui bafouillait, surtout quand il jouait avec Berval. Ce rigolo le faisait tellement se bidonner qu'il riait dix mots et en disait deux. Pauvre Duceppe, je vous dis qu'il en a arraché avec Paul ! Ces artistes créateurs, chanteurs, comédiens, danseurs méritent toute notre admiration. »

Paul Berval estime encore que l'opérette a été le plus beau moment dans sa vie. Il aimait travailler des œuvres bien écrites et bien montées. C'est un spectacle complet où l'on danse et chante au son d'une musique mélodieuse, et au cours duquel la comédie peut être amusante ou dramatique. Et tant d'anecdotes seront liées à cette faste période !

Un jour, notamment, Charles Goulet demande à Berval de remplacer Lionel Daunais dans *La Margoton du bataillon*, car celui-ci s'était sérieusement blessé lors d'une répétition. « Je vous dis que ç'a été pour moi difficile de m'embarquer dans la peau d'un personnage que Lionel Daunais avait toujours interprété ! avoue Paul. J'ai eu neuf jours pour apprendre une opérette au complet. De plus, Lionel, excellent compositeur de chansons, s'était permis de rajouter quelques-unes de ses compositions, donc des chansons qui m'étaient absolument inconnues. Durant ces jours d'apprentissage qui m'étaient accordés, je travaillais de six heures le matin à vingt-deux heures en soirée. Un dur labeur qui m'a toutefois donné le plaisir de participer à cette populaire opérette entouré d'artistes remarquables. Jugez-en par vous-mêmes : Gisèle Mauricet, Yvonne Laflamme, Germaine Giroux, Suzanne Valéry, Louis de Santis, Aimé Major, Olivier Guimond, Denis Drouin, Yoland Guérard, Yvan Ducharme, et surtout ma belle Olivette Thibault qui était tout simplement un charme incarné. Outre Lionel Daunais, qui a joué dans huit cents spectacles durant toute la période des Variétés Lyriques, Olivette Thibault, elle, a été en vedette dans cinquante opérettes pour un total de quatre cent soixante représentations. »

« *La Margoton du bataillon* était une opérette que j'avais déjà jouée trois fois avec Lionel Daunais », relatera Olivette Thibault, aujourd'hui décédée. « Cette fois-ci, j'étais en compagnie d'un nouveau partenaire qui m'était encore inconnu comme tel ; nous avions fait partie d'une même distribution mais un couple partenaire. Ce beau jeune homme se nommait Paul Berval, et chantait fort joliment d'une belle voix de ténor. Il tenait le rôle de Désiré Chupin, militaire depuis quinze ans, qui n'arriverait jamais à s'en sortir car il avait toujours des punitions pour les prochains six mois. Paul, irrésistible dans ce rôle, avait un talent de famille, puisque sa sœur Marie-Anne chantait déjà dans nos chœurs dirigés par René Lacourse. Paul connaissait la musique, jouait très bien, avait le sens du rythme et de la répartie, dansait divinement bien, et c'était un bouffon naturel. Bref, le partenaire rêvé. Après cette première opérette, chaque fois que j'aurais le privilège de choisir mon coéquipier, Paul serait, vous le devinez bien, mon préféré. Je me rappelle une fois, après avoir chanté en duo avec lui, on était revenus sur scène pour saluer. Seuls sur cet immense plateau, nous faisions face à une foule en délire qui nous distribuait des tonnerres d'applaudissements et des vagues de rires ponctués d'ovations debout. Cette cascade d'amour de la part du public représentait pour nous un chaleureux feu d'artifice. C'est un souvenir que l'on ne peut oublier ! »

Un soir, juste au moment où le grand rideau rouge s'abaisse pour l'entracte, Paul se retrouve par inadvertance, devant le rideau, en plein dans le faisceau du réflecteur encore allumé. Seul devant un public qui se demande bien pourquoi il est là, et se voyant ainsi pris au dépourvu, il se met à chanter *O Pagliaccio,* faisant s'esclaffer de rire les gens qui n'en reviennent pas. « N'importe qui d'autre aurait été un peu intimidé et aurait cherché à se sauver, raconte Lionel Daunais. Mais Berval était un magnifique fou, dans le beau sens du mot. »

« C'est dans la comédie musicale *Balalaika* que je mis mes talents de danseur à l'épreuve, nous dit Paul. Livret de Maschwitz, couplets de Wernert et musique de Posford et Grun, *Balalaika* était une création française en Amérique qui datait de 1939. Reprise en 1950-1951, cette festivité musicale mit en vedette Thérèse Laporte, Olivette Thibault, Jacqueline Plouffe, Gérard Boireau de Paris, Yoland Guérard, André Turp, Pierre Thériault et Yvan Blain. Je remplaçais Henri Poitras qui avait créé le personnage de Nicky. J'ai hésité à reprendre ce rôle car Henri Poitras avait été mon professeur de comédie légère, et je trouvais indécent de jouer à sa place. Mais la pièce avait été retouchée et le personnage de Nicky, dans sa nouvelle version, devait chanter et danser, talent que n'avait pas mon ami Henri Poitras. »

Olivette Thibault précise : « J'aimais bien travailler avec Henri Poitras, mais il avait un seul petit défaut : il ne savait pas très bien danser. Moi, j'avais beaucoup de succès avec mes petites danses. De voir une comédienne qui chante et danse, ça émerveillait un peu tout le monde, et après mes chansons, j'avais ma petite danse et ça avait toujours un succès fou. Alors, c'était très important d'avoir un partenaire qui dansait. Mais Henri n'avait pas le sens du rythme, mais alors, pas du tout. Je lui décortiquais chaque pas, et quand il l'avait appris, je lui disais de le faire quatre fois plus vite. Évidemment, il me suivait un peu et j'avais toutes les fantaisies à faire seule, ce qui n'était pas commode. »

Paul dansait en compagnie de sa camarade Olivette Thibault un numéro de ballet mis au point au studio des ballets Morenoff. Certaines journées, ils répétaient seulement la musique. D'autres fois, ils travaillaient seulement le texte qu'ils complétaient avec une mise en scène très spéciale pour ce genre de numéro. Olivette contera : « Nous faisions, Paul et moi, ce que l'on nomme dans le monde du spectacle un numéro d'adage, c'est-à-dire que le danseur lève et porte sa partenaire, ce qui fait un peu un numéro d'acrobatie, ce que Paul faisait très bien. C'était pour Berval un boulot de grand danseur. Pendant que je chantais toute ma chanson, il me promenait de haut en bas, je revenais sur le plancher pour faire quelques pas compliqués avec lui et, à bout de bras, il me faisait virevolter à nouveau au-dessus de lui ; nous finissions, en harmonie précise, quelques pas de danse pour clore ma chanson. Paul connaissant à fond sa chorégraphie, je me sentais en sécurité avec un tel partenaire. Je rajoute en toute modestie que nous étions un numéro très apprécié du public. »

Un soir de représentation de *Barbe bleue*, viennent assister, dans les premières rangées, les amis de Longueuil, Yves Charlebois et Roger Trahan. Celui-ci raconte : « Moi, j'ai toujours apprécié Paul dans tout ce qu'il fait à la scène, mais à l'opérette il se surpassait. Et j'adorais sa voix spéciale de mi-ténor, mi-baryton. »

« Roger a raison, enchaîne Yves Charlebois. L'opérette est certainement un des bons moments de comédien de l'ami Paul. Ce soir-là, dans *Barbe-Bleue*, il incarnait un sorcier ou sorte de magicien. Il était en scène avec Guy Hoffmann et tous deux préparent une recette. À un moment donné, Paul entreprit un long monologue dit en vers et de façon très sérieuse. Tout à coup, regardant le fond de son récipient, il s'arrêta et dit avec un fort accent canadien : "On fout tout ça à la poubelle parce que c'est pas mangeable." Cette parole fut suivie d' un gros éclat de rire de l'assistance. Paul, qui avait joint le geste à la parole, avait repris son monologue sans se départir de son air sérieux. »

Berval s'explique : « Ce que nous avons aperçu, Hoffmann et moi dans nos cornues, vases à col étroit et recourbé, c'étaient de grosses saucisses mêlées à du chou pourri qu'on avait placées là pour nous jouer un tour. Je ne pouvais donc pas continuer sérieusement ma fameuse tirade. »

Et Roger Trahan de poursuivre : « Paul, ce soir-là, portait un tuyau de castor bleu et immense. À la fin du spectacle, au moment des saluts de la troupe, le rideau qui se refermait frappa le tuyau de castor de Paul, le lui renfonçant sur la tête jusqu'au menton. Position fort inconfortable pour Paul qui devait en vitesse revenir saluer. Jusqu'à la fin on ne lui vit que la bouche, ce qui provoqua un rire continuel chez un public ravi de tant de fantaisie. Cher Paul ! N'importe quoi pour faire rire. Ah ! mon Dieu ! quand on est un clown né ! Que voulez-vous de plus ? »

Paul aime jouer des tours. Roland Guérard, qui interprète lors d'une série de spectacles un personnage dramatique, doit à un certain moment assassiner le grand duc. Seul en scène il s'exclame : « Voici le moment où je dois aller tuer le grand duc. » Mais s'élançant pour sortir, le pauvre comédien trouve toutes les portes verrouillées Imaginez sa déconfiture ! Ça, c'était un tour digne de Berval.

Les soirs de dernière, il y a également une tradition à l'opérette, celle de jouer un vilain tour durant la représentation. Berval, l'enfant terrible de l'opérette, confesse : « Dans *Colorado*, on retrouvait en vedette Thérèse Daly, Olivette Thibault, Jeanne Desjardins, Carmen Morenoff, Yoland Guérard, Jean Duceppe, Bertrand Gagnon, André Turp et moi-même. Pour m'amuser, le soir de dernière, j'avais cloué solidement une table que Turp, chanteur costaud devait, dans un moment de colère, soulever et lancer à quelques pieds de lui sur la scène. André, fort comme un bœuf, voulant, comme il se doit, soulever ladite table, se buta à une étonnante résistance de l'objet en question. Comme la table ne bougeait pas d'un poil, ce furent des morceaux de table brisée en éclats qu'il dut lancer à travers la scène. Moi, maîtrisant fort mal un irrésistible fou rire, je surpris subitement son regard foudroyant qui me mitraillait. Et compris bien vite qu'il ne fallait pas que je sois dans ses jambes après la représentation ! »

En 1954, les Variétés Lyriques mettent à l'affiche *Chanson Gitane* mettant en vedette Marthe Lapointe et Richard Verreau. Durant la répétition générale, Paul a un accident qui aurait pu lui être fatal. Selon la mise en scène, Richard doit courir après lui, tandis qu'en bon Tarzan, avec un câble, Paul doit traverser en la survolant toute la scène du Monument National, et atterrir sur une plate-forme solide. Mais un câble se casse, et Paul fait une chute de plusieurs pieds. « Rien de brisé, mais je dus soigner mes courbatures et mes vertèbres endolories avant de pouvoir jouer de nouveau en public. Il y a un bon dieu pour les innocents comme moi. J'ai ressenti plusieurs années plus tard des séquelles de cette malencontreuse chute. »

Les opérettes *Symphonie Portugaise* et *Brigand d'amour* donnent à Paul le privilège de jouer auprès du chanteur français Rudy Hirigoyenne, un artiste qu'il admire beaucoup. Un peu plus tard, il obtient un rôle intéressant dans *La veuve joyeuse*, une opérette qui connaît toujours un vif succès. Il y est entouré cette fois-ci par de grands noms de l'opérette tels que Jacqueline Plouffe, Lionel Daunais et Jacques Jansen vedette de l'opéra de Paris, du Covent Garden de Londres et du Metropolitan Opera de New York.

Il avoue avoir adoré faire cette série d'opérettes, et les considère comme les plus merveilleux moments de sa carrière artistique. Même s'il va travailler après les représentations au cabaret Saint-Germain-des-Prés. Il savoure la chance qu'il a eue de travailler avec Charles Goulet et Lionel Daunais, des gens importants dans sa vie. Deux messieurs qui ont cru fermement que la population canadienne-française était en mesure de soutenir une troupe d'opérette et surtout de la désirer. Il a aussi eu le privilège de chanter sous la direction de l'orchestre de Jean Goulet, le père de mon directeur Charles Goulet. Après avoir atteint l'âge de soixante ans, monsieur Goulet a cédé sa place à Lionel Renaud, homme compétent en la matière. Moins gêné avec Lionel qu'avec Jean Goulet, il s'amuse souvent à lui jouer des tours. Paul se confesse :

« Au moment, par exemple, où à un signe conventionnel Lionel me donnait le rythme et le signal m'indiquant que je devais commencer à chanter, je m'arrêtais et je le regardais l'air hébété. Il me refaisait alors mes signes de départ. Alors je disais : "Quoi ? Ah ! Vous voulez que je commence ? Ben, faites aller votre baguette !" Le pauvre, il se laissait prendre à chaque fois. »

La troupe des Variétés Lyriques inaugure, à l'automne 1936, l'opérette *Le pays du sourire* de Franz Léhar, son premier spectacle présenté au théâtre le Monument National. Cette salle de spectacle contient mille cinq cents places et offre une remarquable acoustique. Située en plein centre-ville, elle est facile d'accès à la population. Dix-neuf ans plus tard, en avril 1955, on présente le dernier spectacle de cette remarquable troupe, soit *La fille du tambour Major*, un opéra bouffe de Jacques Offenbach. Charles Goulet et Lionel Daunais sont toujours ensemble à la dernière chute du rideau rouge. Quel immense répertoire : cent dix-sept œuvres, douze opéras, soixante et onze opérettes, une revue et trente-trois reprises d'œuvres.

C'est le cœur serré que Paul quittera ce genre de spectacles dans lesquels il s'est fait valoir comme un chanteur à voix. Quelques autres opérettes seront présentées à la Place des Arts, et il aura le privilège d'en faire partie. Entre autres productions, il chantera dans *La fille du régiment* sous la direction du grand chef d'orchestre Wilfrid Pelletier. Ce même spectacle se produira d'ailleurs en même temps au Metropolitan Opera de New York. « Quelqu'un m'aurait offert vingt-cinq mille dollars pour participer à cette représentation de New York, j'aurais dit non. Je préfèrais chanter ici à la Place des Arts », avoue Paul.

Chapitre 7

Le Saint-Germain-des-Prés

« J'avais entendu dire dans le milieu artistique, raconte Paul Berval, que monsieur Jack Horne, propriétaire de quelques chics clubs de nuit de Montréal, ouvrirait bientôt, sur la rue Ste-Catherine est, un grand cabaret nommé Le Continental. Quelques jours plus tard, je reçus un téléphone de Jacques Normand qui me dit qu'il ouvrait un mini-cabaret attenant au Continental, et qu'il serait baptisé le Saint-Germain-des-Prés. Il m'expliqua que cette idée d'un petit cabaret francophone lui était venue en compagnie de Gilles Pellerin, Jean Mathieu et Billy Munro qui faisaient ensemble régulièrement des sketches comiques sur les ondes de CKVL. "De la radio à la scène, c'est un grand pas compliqué à franchir, me dit-il, mais je suis persuadé que nous le ferons avec succès." Il ajouta qu'il aimerait bien que pour le soir de la première, je chante quelques chansonnettes de mon répertoire. J'ai accepté avec plaisir. »

Moi, Pierre Day qui ai le plaisir de rédiger cette biographie, je travaillais à cette époque pour monsieur Horne. Celui-ci m'avait confié la mission de lui dénicher des artistes populaires de France qui pourraient être en tête d'affiche de son nouveau club de nuit. Mon travail était d'établir avec eux un premier contact, et Jacques Normand, qui connaissait tout ce beau monde, avait la tâche de négocier leur contrat et de les engager. Les artistes que j'avais choisis se nommaient Charles Trenet, les Compagnons de la Chanson, Andrex, Lily Fayol, les Frères Jacques, Adrien Adrius, Yvette Giraud, Patrice & Mario, Carlos Ramires de Hollywood, et Félix Leclerc qui arrivait d'une longue tournée en France, et accepta un engagement de deux semaines. Ce serait sa première apparition devant le public de Montréal après son triomphe en terre européenne.

Jacques Normand en avait marre de faire son travail d'agent d'artistes. En furetant dans le futur cabaret, il avait découvert un espace inoccuppé. Il proposera alors à Jack Horne d'ouvrir à cet endroit une petite boîte comme on en trouve à Paris dans le quartier de Saint-Germain-des-Prés. Jack Horne, un peu étonné que Jacques préfère une salle d'environ cent cinquante places à celle du Continental, qui pouvait loger quatre cents personnes, fera néanmoins confiance à la compétence et au dynamisme de Jacques et lui donnera carte blanche.

Normand, qui a fréquenté les caves de Saint-Germain-des-Prés, préconise ce nom, mais Gilles Pellerin, son copain et complice, sachant bien que le coin alloué à Jacques se situe au deuxième étage, qu'il faut monter un long escalier pour y accéder, et que l'entrée est bel et bien située sur la rue Saint-Urbain, lui propose de nommer son mini-cabaret Saint-Urbain-des-Prés. Jacques préfèrera tout de même garder, avec le nom qu'il a choisi, le cachet d'une boîte parisienne de la rive gauche. À Paris, on se rendra donc aux caves de Saint-Germain-des-Prés ; et à Montréal, on fréquentera « Saint-Germain-des-Prés, la plus haute cave de la ville. »

Ainsi naîtra ce cabaret bien spécial, plus boîte à chanson qu'autre chose. Pour ceux qui aiment la petite histoire, disons que le Continental et le Saint-Germain-des-Prés étaient situés sur Ste-Catherine, à l'angle des rues Jeanne-Mance et Saint-Urbain. Aujourd'hui démolis, ces clubs de nuit ont été remplacés par le Complexe Desjardins situé en face de la Place des Arts. La particularité de ce petit bistro est que le spectacle est présenté par tranches plutôt que de manière continuelle. Par exemple, vers vingt et une heures trente, lorsque les tables sont presque toutes occupées, Jacques Normand, le maître de ces lieux, souhaite la bienvenue au public, taquine les dames qui portent un chapeau original arborant de voyantes et originales plumes, et leur chante *Le chapeau à plumes*. Souvent, il pousse l'audace en coupant une plume trop encombrante. Ces dames, qui connaissent les manières de l'enfant terrible de la chanson, ne sont pas dupes et parfois, en guise de provocation, s'affublent d'un bibi insensé afin de mettre du piquant au spectacle de Jacques. Comme le conte celui-ci : « Oui, je faisais des blagues souvent sur les chapeaux des dames, mais elles m'en n'ont jamais voulu. Et pour cause ! Ces dames ratoureuses s'organisaient toujours pour porter les plus ridicules couvre-chefs à plumes inimaginables lorsqu'elles venaient assister à mon spectacle. » Le spectacle se divise ainsi : quinze minutes après l'ouverture, un sketch ou un monologue débute. Dix minutes plus tard, une chanteuse enchante le public, et ainsi de suite jusqu'aux petites heures du matin. Le tout est entrecoupé de sketches amusants parodiant l'actualité politique.

Le soir de la première restera dans les annales. La petite salle est pleine à craquer. Artistes de théâtre et de clubs de nuit, photographes de tous les journaux, reporters, supporteurs, et un public merveilleux crient avant la première entrée en scène : « Allez-y, on est avec vous autres ! », et les numéros qui s'enchaînent à différents intervalles sont acclamés chaleureusement. Colette Bonheur et ses jolies chansons envoûtent le public. Gilles Pellerin et ses monologues sur la mère à Roland fait rire les gens à se tordre. Un gars dans la salle se met à crier « Arrête, j'ai mal au ventre, tu vas me faire mourir ! » Paul Berval, avec ses chanson comiques et ses mimiques, est remarquable et remarqué. Le jeune Raymond Lévesque, pour sa part, interprète d'admirables chansons de sa composition. Et Jean Mathieu, malgré un trac fou, passe la rampe sans difficulté avec ses imitations. Serge Deyglun déride les plus moroses. Enfin Pauline Julien, alors plus connue en France qu'au Québec, apporte à cette soirée tendresse, poésie, rêve et détente.

Le pianiste de ce spectacle, Billy Munro, vedette avec Jacques Normand de la populaire émission de CKVL *Le fantôme au clavier*, nous parle du clou de cette soirée : « Rita la vedette, le seul nom que je lui connaisse, était une jolie femme qui chantait bien la chanson fantaisiste. Élégante dans sa robe de gala, arborant un maquillage distingué, et vouant un grand respect au public, elle passait bien la rampe, comme on dit dans le jargon du monde du spectacle. Les gens qui fréquentaient régulièrement les clubs de nuit de Montréal l'avaient vue au moins une fois faire son numéro. Rita avait tout pour devenir une grande vedette, mais il y avait un hic que Jacques Normand ignorait. En ce soir de première, ayant le goût de faire participer à l'occasion des spectateurs, il permit à Rita de chanter. Elle était divine dans son tour de chant. Le public l'applaudit à tout rompre et lui fit un *standing ovation*. Les journalistes la portèrent autour de la salle à bout de bras, puis la déposèrent à nouveau sous les réflecteurs. Les applaudissements redoublèrent. C'est alors que Jacques Normand comprit pourquoi Rita ne deviendrait jamais une vedette connue car, sous les tonnerres d'applaudissements qu'elle provoquait immanquablement, Rita se déshabillait progressivement. C'était, chez elle, une manie maladive connue de tous les propriétaires des cabarets qui l'avaient déjà engagée. En ce temps-là, le *striptease* était formellement défendu dans notre *show-business*. N'oublions pas que la célèbre Lily Saint-Cyr fut chassée du théâtre Gayety de Montréal par nos gouvernements en place, appuyés par le puissant clergé, parce qu'ils trouvaient ses spectacles indécents... Jacques, qui nourissait pour la jolie Rita une grande sympathie, essaya de tout son cœur de la raisonner, mais rien n'y fit. Après quelques spectacles il dut, à regret, la congédier. »

Cette grande première, à l'intérieur d'une si minuscule boîte à chanson, marquera tous les esprits. Par la suite, le Saint-Germain-des-Prés ne connaîtra jamais, au cours de son existence, de véritable soirée creuse. Ce cabaret, qui servira de tremplin à tant d'artistes, est dès ses débuts bien lancé. Paul Berval, heureux d'avoir participé à cette grandiose première, est un peu surpris, quelques semaines plus tard, de ne pas avoir de nouvelles de Jacques Normand. Dans une entrevue accordée à Jacques Houde lors d'une émission consacrée à Paul Berval, Gilles Pellerin explique : « Paul, à l'exception de la première du Saint-Germain où il avait donné un remarquable tour de chansons humoristiques, était en quelque sorte boudé par Jacques Normand. Et singulièrement, il a recommencé à notre mini-cabaret en remplacement de celui-ci. À dix heures quinze, quand Jacques n'était pas encore arrivé et, ça lui arrivait souvent, on appelait Paul aux Variétés Lyriques et on lui disait : "Viens-t-en, il ne viendra pas." »

« Après quelques suppléances de la sorte, poursuit Paul, j'entendis Jacques me dire : "Pourquoi ne viendrais-tu pas travailler avec nous régulièrement ? Le public t'aime, et moi je trouve nouvelle et géniale ta façon de faire connaître à ta manière ce grand classique *Phèdre* et ton rôle de Théramène. Tout le monde rigole, tu obtiens là un succès bien spécial. De plus, je ne te cache pas que toi en place, je pourrais prendre plus souvent congé." Un peu surpris de cette dernière explication, mais tout de même flatté par ces compliments et, surtout, considérant le salaire abordable, j'ai accepté l'invitation de Jacques. Les Variétés Lyriques fermant définitivement leurs portes, voilà un travail qui, pour moi, tombait drôlement à pic. »

Le Saint-Germain-des-Prés permet à Paul de retrouver des amis qui lui sont chers, ainsi que de connaître de nouvelles vedettes du Québec et quelques-unes de France. Il y retrouve Monique Leyrac, dont il se souvient la délicieuse chansonnette *La danseuse est Créole*, succès de Suzy Solidor, qu'elle reprenait avantageusement lors de son tour de chant au Faisan. Bien jolie jeune fille, sa présence sur scène démontre déjà qu'elle a du potentiel comme on n'en rencontre pas tous les jours. En la regardant travailler au Saint-Germain, Paul constate que cette belle femme a su enrichir par son talent et sa voix déjà magnifique. Femme cultivée et ambitieuse, elle réussira en peu de temps à prendre sa place de vedette auprès d'un public qui l'adore.

Quelle joie également de retrouver sur scène son ami d'enfance Jean Mathieu. Ce don d'imitateur incomparable, Jean le laisse filtrer à ses débuts au Saint-Germain, puis peu à peu le développe et prend du poil de la bête, comme le dit cette expression courante. Jean, excellent comédien radiophonique, a de la difficulté à passer la rampe en raison d'un trac carabiné. Il lui manque cette croyance aveugle en lui qui est parfois si utile pour faire ce métier. Ce petit manque de confiance en son talent, il le compense par un travail acharné et un grand respect de ceux et celles avec lesquels il collabore. Il faut dire que Jean est un homme d'une grande gentillesse. Ses imitations, ses monologues et les personnages qu'il campe au cabaret restent encore aujourd'hui très vivants dans l'esprit des fidèles spectateurs de ce temple du rire. Jean Mathieu sera le premier à lancer cette mode d'imitateurs. Son imitation de René Lévesque est d'une perfection et d'un drôle fantastique. Les tics, la voix enrouée, tout y est. Le public est en liesse, René Lévesque le premier.

« Comme le Tout-Montréal, confie Paul, je découvris quelques-unes des nos plus belles chansons québécoises composées par Raymond Lévesque. Le répertoire de Raymond était comme un ciel d'été, où il y a des étoiles qui brillent davantage, d'autres qui sont là pour faire sourire, et quelques-unes qui gagnent à se laisser découvrir. Il y avait des soirs où Raymond obtenait un succès retentissant, et d'autres soirs où il était moins apprécié. Il lui arrivait par exemple de présenter des chansons dans lesquelles il faisait passer assez finement des salades politiques toujours vraies et dites avec une sincérité qui lui était propre. Le public en général aimait ces moments, mais il arrivait quelquefois que des politiciens présents se sentent intimement touchés. Une riposte de la présumée victime s'ensuivait et, prestement, Raymond arnaquait son public mécontent. Jacques le lui reprochait souvent :

– Raymond, tu as de belles chansons, tu n'as pas besoin d'engueuler ton public.

– Tu le fais bien toi, Jacques, rétorquait celui-ci.

Jacques qui, dans le fond, aimait bien Raymond, ne gueulait pas trop après lui, mais parfois se vengeait un peu en faisant passer, pendant le spectacle, son numéro suivant le sien. Il lui disait : "Raymond, place-toi avec ton ukulélé dans le petit escalier qui arrive à la scène, je fais cinq minutes de show, et tu entres." Jacques faisait rire le monde. Raymond attendait. Vingt-cinq minutes plus tard, Jacques présentait le pauvre Raymond qui se plaignait : "Y m'écoutent pas ! C'est bien trop long ton show, Jacques, t'es pas raisonnable !" Et le duel de Raymond qui engueulait son public, et de Jacques qui persistait dans son petit jeu mesquin, se répétait malheureusement trop souvent. Dommage ! »

Jacques engage à l'occasion deux jeunes chanteuses fort appréciées du public. À les regarder travailler, Paul sait que ces deux jeunes vedettes iront très loin. Au cours de son tour de chant, Denyse Filiatrault fait valoir continuellement différentes facettes de son talent ; elle joue les stars, les tombeuses, quelquefois les femmes-objets et les *glamour-girls*. Artiste sensible et bourreau de travail, quand une de ses facettes précitées ne la satisfait pas, la fois suivante, elle en met plus. Si bien qu'elle va, à sa grande satisfaction, chercher son public et réussit enfin à le conquérir. Dominique Michel, un petit minois volcanique aux talents nombreux, a un sens musical et une voix chatoyante qui peut subjuguer son public, mais elle a pour but principal, en interprétant des chansons fantaisistes, de faire sourire, sinon rire, l'auditoire qui tombe immanquablement sous son charme. Jacques fait souvent participer les deux jeunes femmes à ses sketches. Toutes deux ont une grande facilité à faire rire le public. Jacques, qui connaît l'expérience de Paul avec les Guimond et Jean Grimaldi, lui permet souvent de leur montrer des trucs de comédie. Tout doucement, celui-ci leur inculquera le métier de comédiennes dont elle se serviront plus tard à ses côtés.

« Jacques était toujours heureux lorsque les grandes vedettes du Continental comme Les Compagnons de la Chanson, Charles Trenet, et les Frères Jacques, traversaient la rue entre deux spectacles au Saint-Germain, faisaient avec nous un petit numéro inusité, ou se mêlaient à un sketch de vaudeville improvisé. Ça ajoutait beaucoup de piquant au spectacle régulier où le temps n'avait pas de limite. Jacques aimait aussi faire monter sur scène des artistes ou des politiciens en visite, lesquels ne se faisaient jamais prier pour participer à un numéro surprise. Oui, c'était agréable de prendre des gens connus dans la salle. Cela amusait beaucoup l'assistance.

Un fois, notamment, alors que la foule attendait à l'extérieur avant l'heure de l'ouverture. Un jour, le *doorman*, avait reconnu le juge Rincette et son épouse Nicole Germain. Il eut l'audace de leur dire : "Nous ouvrons dans dix minutes, si vous voulez vous asseoir dans l'escalier comme bien du monde le font, gênez-vous pas." Et c'est ce qu'ils firent, au grand amusement des gens assis autour d'eux. »

Jacques Normand et Gilles Pellerin, grâce à leurs émissions *Le fantôme au clavier* et *La parade de la chansonnette française* sur les ondes de CKVL, font une bonne publicité pour le Saint-Germain-des-Prés. Aussi un public de tout acabit fréquente le cabaret : avocats, juges, médecins, politiciens, artistes se mêlent à monsieur Tout-le-monde, et souvent de grands noms comme le juge Rinfret acceptent de participer à un petit sketch organisé par Jacques à la dernière minute. Jean Dalmain, alors époux de Monique Leyrac, vient aussi souvent dire gratuitement, au grand plaisir de tous, la fameuse tirade du nez extraite de *Cyrano de Bergerac*.

Quelques-uns des grands moments de rire au Saint-Germain se vivent lors du numéro *Les grands procès*, où les accusés à la barre de l'infamie sont recrutés directement dans le public présent. La scène se passe en cour bien entendu. Billy Munro est toujours le juge *very english* portant la grande robe, le rabat, et la perruque des lords britanniques. Gilles Pellerin, devient greffier, l'air verdi par le temps, arborant pince-nez et lunettes lorsqu'il fait prêter serment aux témoins qui jurent de dire toute la vérité, la main placée sur un bottin téléphonique. Portant la toge, employant de larges gestes, et énonçant des mots qui nécessitent l'étude du dictionnaire, les avocats, Berval pour la couronne, et Normand pour la défense, sont tout simplement hilarants.

Beaucoup de gens de la salle se prêtent à ce petit jeu. Parmi eux figurent André Dassary, Jean Dalmain, Tino Rossi, le mime Marcel Marceau, les juges Hector Perrier et Antoine Lamarre, des députés, des ministres, des journalistes connus, et des écrivains aujourd'hui devenus célèbres. Les grands moments de plaidoiries de Paul Berval ont toujours été remarquables grâce à la finesse de ses improvisations.

La vedette la plus surprenante du Saint-Germain-des-Prés est sans aucun doute Serge Deyglun, le fils d'Henry Deyglun et de la jolie comédienne Mimi d'Estée. Au début, il surprend tout le monde avec son tour de chant composé uniquement de chansons western. Puis, peu à peu, il insère dans son numéro des chansons de sa composition, qu'il appelle ses « classiques », comme *C'était un ingénieur qui avait ben du cœur*, *Merci mouman d'êt'venue me voêre à soêre*, *Su'l'bord de mon bed*, et la traduction fantaisiste du succès américain *Five foot two, eyes of blue*, en français : *Cinq pieds deux, les yeux bleus,* en s'accompagnant à la guitare comme dans les chantiers.

Contrairement à la réputation des autres troupes de théâtre, les membres du groupe du Saint-Germain-des-Prés ne se jouent pas de vilains tours, trop occupés qu'ils sont à livrer un spectacle impeccable. L'atmosphère va tout de même changer quand à l'arrivée de Serge Deyglun. Ce dernier est rapidement catalogué comme un joueur de tours bon-enfants. Un soir cependant, un drame cornélien éclate dans l'arrière-scène. Raymond Lévesque arrive en coulisse, la larme à l'œil, enragé, choqué, et découragé. Il s'exclame : « Mon ukulélé a été brûlé ! C'est certainement Deyglun qui m'a joué ce tour pendable. » Serge plaide sincèrement non coupable, et à raison, comme l'expliquera Jacques Normand : « Raymond Lévesque, entre deux apparitions publiques, déposait toujours son précieux instrument sur la table de l'unique loge commune. Serge, grand fumeur, avait laissé par inadvertance une cigarette allumée non loin de l'instrument de Raymond et, rapidement, le feu se propagea au ukulélé, le détruisant complètement. Je fus obligé de jouer le rôle du roi Salomon, et tranchai l'affaire en condamnant Serge à payer un nouveau "Stradivarius" à Raymond, et à Lévesque à payer la traite à la troupe pour avoir injustement, comme un bébé, accusé Serge de ce méfait. Ainsi la paix est revenue au sein de notre saine communauté. En réalité, Deyglun et Lévesque ont toujours été de grands amis. Bien sûr, ils n'étaient jamais d'accord l'un avec l'autre, mais il aurait suffi que l'on fasse des misères à l'un d'eux pour que l'autre se porte immédiatement à sa défense. » Serge Deyglun a vécu intensément. Il est décédé, très jeune, d'un cancer le 19 janvier 1972.

De nouvelles découvertes se nomment Jacques Desrosiers et Clémence Desrochers. Jacques imite Fernandel, Guy Hoffmann, Michelle Tisseyre, Aznavour et René Lévesque. « Clémence Desrochers, loin d'être un oiseau de malheur, nous explique le grand patron Jacques Normand, est entrée chez nous et dans ma vie à l'issue d'un petit drame que vivait un Jack Horne bien malheureux. Ne dit-on pas que le malheur des uns fait le bonheur des autres ? Le Continental, grand frère du Saint-Germain, était en difficulté à cause du syndicat des musiciens, et Jack Horne refusait toute entente avec leur union. Le Saint-Germain-des-Prés dut forcément, pour le soutenir, suivre la règle établie. Les musiciens ne devaient plus jouer une seule note lors de notre spectacle. Que faire ? J'ai réalisé alors un rêve, celui de faire venir à Montréal mon ami Jean Rigaux, un chansonnier français, et de constituer avec lui et Clémence Desrochers un trio a capella, c'est-à-dire sans instruments de musique. Ce genre nouveau enchanta le public. Clémence fut la révélation de la saison, que dis-je, de l'année, de la décennie ! La venue de Jean Rigaux nous apportait un public tant français que canadien. C'était extraordinaire de voir cette jeune artiste sans expérience faire rigoler un auditoire aussi difficile. Clémence était une caricature de notre système d'éducation et de nos mœurs. Avec son cocktail de monologues bien particuliers, elle faisait rire le public en tenant compte de sa portée qui pouvait être imprévisible. Je pense entre autres à son personnage de l'enfant de Marie, une trouvaille d'un comique irrésistible. C'était aussi sa façon bien subtile de contester. À cette époque on blaguait rarement nos propres travers nationaux, et si on mettait en boîte notre clergé, il fallait le faire avec nuance et dextérité. Clémence, avec son air angélique, y parvenait en faisant rire toutes ces bonnes gens, et en y ajoutant une certaine réflexion. Clémence Desrochers est une femme importante, je crois, dans l'histoire de notre libération conditionnelle. »

Et Jacques de poursuivre : « Outre le contact direct avec le public auquel il fallait s'habituer, il y avait l'ambiance, les bruits, les mouvements de la foule, et moins de discipline. Nous avions connu ça au Faisan Doré qui était une salle immense. Mais ici, dans notre mini cabaret, nous étions collés aux gens, et faisions en quelque sorte corps avec eux. Gilles Pellerin, avec lequel j'avais animé l'émission radiophonique *Fantôme au clavier*, s'adapta très vite à cette nouvelle vie. Ceux qui avaient cru qu'il ne pourrait que jouer mon souffre-douleur et me donner la réplique, ont compris rapidement que ce jeune homme pouvait très bien se débrouiller seul en scène. Il a prouvé, par exemple, qu'il savait riposter rapidement à une réplique quelquefois insolente de l'auditoire. Réponse toujours vive qu'il tournait en blague de bon aloi, ce qui lui donnait l'occasion de faire rire son monde sans pour autant insulter les interlocuteurs belligérants. Il mettait ainsi les francs rieurs de son côté. Ça, c'était du bon spectacle !

Gilles Pellerin est pourvu d'une culture certaine et d'une incroyable mémoire. Dans ses célèbres monologues parlant de l'imaginaire mère de Roland, Gilles se sert de tous ses moyens. Subitement, durant un monologue, il ferme ses yeux surmontés d'épais sourcils qu'il fronce comiquement. Il ne bouge pas, il attend son moment, et alors, vlan ! Il laisse partir un mot, une phrase bien pensée, et la salle s'écroule de rire. Il a ce sens du *timing*, qui est rare et indispensable chez un monologuiste tel que lui. Quand on pratique ce métier, ce talent de la répartie instantanée, on peut l'avoir ou pas, mais un fait est certain, c'est que ça se cultive, ça se rode, et avec du temps et de l'acharnement, on peut l'améliorer considérablement. Gilles devient très vitemaître de ce genre. « Nous avions monté, Gilles et moi, poursuit Jacques Normand, une chanson-sketch de Jacques Hélian intitulée *Ah! C'qu'on s'amuse à l'opéra*. Nous étions allés chez le costumier Ponton pour y chercher des accessoires, des perruques et des costumes mais sans idée bien arrêtée. Alors nous avons finalement choisi les gags pour aller avec les accessoires. Ce qui était beaucoup plus simple pour nous. Ô ! Folie douce ! Une casquette de conducteur de tramway inspirera à Gilles cette blague de *car-men* (n'oublions pas que nous sommes à l'opéra). Je dirigeais moi-même l'opéra à vue quand je disais en anglais : *Change for two*. Pellerin répondait alors en canadien :

"J'ai pas d'change pour un deux." Puis à la fin, lorsqu'il devait se fâcher, il me disait : "Vot'Opéra, vous savez c'est pas les gros chars, pis ça, c'est un car-men qui vous le dit! "

Nous parodions aussi *L'Opéra du samedi soir,* une émission intellectuelle de Radio-Canada qui avait une grosse cote d'écoute. Billy Munro était le très *british* chef d'orchestre qui n'avait que son piano à diriger, mais quel *showman* ! Monique Leyrac était la walkyrie, mais pour Pellerin, elle devint "La vale qui rit" et "Le veau qui pleure". Il faut comprendre ici que je vous parle d'un sketch comico-ridicule incluant les éclats de voix exagérés de Leyrac, le ridicule de mon personnage, celui coloré de Munro et les facéties de Gilles Pellerin. Tout ce beau sketch qui, pendant de nombreuses semaines divertit nos spectateurs, durait environ vingt minutes et le public n'était pas avare de multiples et merveilleux moments de rires. Merci, Gilles Pellerin. »

Paul se souvient avec tendresse de la gentille et douce Colette Bonheur, une chanteuse et comédienne fantastique. Elle faisait partie de la troupe originale du Saint-Germain. Issue d'une véritable famille d'artistes, sa maman était chanteuse d'opérette. Paul l'a donc côtoyée à plusieurs reprises aux Variétés Lyriques. Monique Chailler, de son vrai nom, a fait partie quelque temps de l'intéressante émission *Les Joyeux troubadours*, laquelle détient encore le record de longévité à l'antenne de CBF, soit plus de trente ans en ondes. Son frère, Philippe Chailler, s'est également fait une bonne réputation de chanteur de charme. Une autre de ses frangines, qui avait pris le nom de théâtre de Jani Claude, tiendra l'affiche plusieurs mois à la boîte à chansons d'André Lejeune La clef de Sol. Elle y sera entourée de Guy Godin, François Dompierre, Suzanne Valéry, et de Pierre Day. Ils sont accompagnés au piano par Fernande Fay. Dans le monde artistique, Guylaine Guy deviendra l'une des premières vedettes canadiennes à faire carrière à la lumière de cette capitale de la chanson française qu'est Paris. Charles Trenet a composé expressément pour elle cinq de ses jolies chansonnettes. En plus du Faisan Doré, Paul a eu le plaisir de travailler avec Colette Bonheur dans la première série d'émission de variétés de CBFT-TV *Porte ouverte*. Un jour Colette, devenue amoureuse, prendra comme époux un beau et jeune chiropraticien, qui l'entraînera avec lui sur une splendide île des Caraïbes où elle trouvera, mêlée à son amour trop vite déçu, une mort mystérieuse et tragique. « Pauvre Colette, si tendre et presque fleur bleue ! Sa douceur et sa joie de vivre, ne méritaient pas une fin si atroce. »

Paul Berval côtoie aussi au Saint-Germain-des-Prés des artistes moins connus venus de France. Il faut dire que Jacques préfère laisser les grandes vedettes au chic Continental. Parmi eux, on retrouve Évelyne Plessis, la troisième épouse de Charles Aznavour. Cette jolie brunette à la voix fort sympathique, et à la belle blouse blanche, n'est ni très discrète, ni très sage. Que d'yeux lubriques se fixeront sur cette chanteuse *cute*. Pendant que son célèbre époux chante à la Comédie Canadienne, elle fait rêver de sa voix douce les mâles du Saint-Germain-des-Prés. Elle a cependant une chanson qui sait ramener brutalement son public sur terre. Cette chansonnette raconte l'histoire d'une très charmante jeune personne qui crève avec une joie sadique les yeux d'un innocent petit chaton. Mais ces mots cruels n'empêchent pas les hommes de rester complètement ébahis devant la beauté de leur interprète. Paul avoue : « Moi, je passais tout de suite après son tour de chant, et je vous jure que mes propos généralement comiques avaient tendance quelquefois à devenir quelque peu langoureux. Mais je crois que je redevenais assez amusant en chassant tout haut mes mauvaises pensées. »

Jean-Claude Darnal, un auteur de grand talent, enregistre bientôt en France de bien jolies chansons de sa composition. Mais sa compagnie de disques tardant à mettre sur le marché cet enregistrement vinyle alors nommé long-jeu ou 33 tours. Déconcerté par l'attitude inexplicable de son employeur, Jean-Claude décide au bout d'un an, pour se consoler, de faire un voyage autour du monde. Une autre année plus tard, alors qu'il séjourne au Mexique, il apprend que Catherine Sauvage a enregistré deux de ses chansons *Toi qui disais, qui disais, qui disais* et *Le soudard*, et qu'elles sont devenues de très gros vendeurs sur le marché international. Question d'en savoir plus sur ces succès ignorés, il se rend à Montréal, s'arrête à CKAC où il est reçu par les discothécaires Guy Lepage et Pierre Day qui viennent tout juste de recevoir le premier long-jeu de Darnal lancé depuis peu sur le marché, fait totalement ignoré par le principal intéressé. Le jeune auteur, fort surpris de voir son disque entre les mains de ces deux discothécaires, veut bien retourner en France afin de récolter les fruits inattendus de son succès. Mais il manque d'argent pour faire ce voyage. Pierre Day, qui connaît bien Jacques Normand, explique à celui-ci ce cas bien particulier. Jacques, reconnu pour sa grande générosité, engage le jeune homme qui, au bout d'un mois, réunit la somme nécessaire à son périple. Jean-Claude Darnal laissera un excellent souvenir de son grand talent au Saint-Germain-des-Prés.

« De grandes vedettes canadiennes ont chanté chez nous, poursuit Paul. Muriel Millard, sans ses robes à paillettes, éblouissait quand même par sa personnalité et ses chansons, notre sympathique public. Janine Gingras, gagnante à Toronto du prix *Opportunity Knocks*, interprétait chez nous ses grands succès dont une magnifique chanson canadienne de Pat Di Stasio, intitulée *Toi tu es tout pour moi.* Johanne Jasmin, qui possédait une belle personnalité et une voix chaude, enivrait notre public avec des chansons réalistes qui figuraient comme la grande et nouvelle vogue du moment. Au Saint-Germain-des-Prés, nous innovions. Un grand nom, un beau garçon, un superbe talent nommé Normand Hudon fut le premier au Canada à faire sur scène des caricatures assaisonnées de bonnes blagues appropriées à notre actualité politique. Ses débuts furent relativement difficiles, mais il sut, dès le départ, se faire accepter et se faire écouter par un public qui n'était pas préparé à ce nouveau style de spectacle. Normand Hudon, cet enfant de la bohème qui avait toujours fait ce qu'il voulait au risque de déranger les gens, avait le don de pouvoir improviser avec une rapidité renversante et d'atteindre des ressemblances incroyables. C'est dans notre petit cabaret que Normand imposa peu à peu son genre, son style, et sa personnalité. Bien vite, il devint le caricaturiste officiel du journal *La Presse* et connut les plus hauts sommets. Les directeurs du café Blue Angel de New York, ayant vu son numéro de caricaturiste au Saint-Germain-des-Prés, l'engagèrent pour plusieurs saisons consécutives. À certains moments, il partagea la vedette avec nul autre que son copain Jacques Normand. Quelle belle période de ma vie que celle passée au Saint-Germain-des-Prés ! Je vous ai parlé ci-haut de toutes ces vedettes avec lesquelles j'ai partagé ces moments de grande joie, Malheureusement, j'ai l'impression d'avoir omis quelques noms. Que voulez-vous ? La mémoire n'est-elle pas une faculté qui peut aussi oublier ? »

« De tous ces artistes qui ont été le souffle et l'âme de notre petit cabaret, dit Jacques Normand, je dois vous avouer en toute sincérité que celui qui arriva le mieux préparé, le plus aguerri, ce fut sans aucun doute Berval. Interprète de chansons légères dans le style des Fernandel et Maurice Chevalier, chanteur à voix excellant dans le *bel canto*, artiste comique ou tragique au théâtre, à la radio et à l'opérette, danseur de music-hall et de grands ballets, Paul Berval était l'artiste le plus complet que le Saint-Germain-des-Prés eut le plaisir de présenter. Bien sûr, le plateau du petit café de la rue Saint-Urbain a été pour Paul un tremplin extraordinaire. Sa fantaisie pouvait s'épanouir à profusion. Il n'était pas prisonnier d'un texte ou d'une mise en scène. Bref, il n'était jamais soumis qu'à sa propre discipline. Paul Berval déployait toujours chez nous le maximum de son talent. Nous, ses intimes, nous l'écoutions tous les soirs. À chaque fois, nous éclations de rire, car, à chaque nouvelle performance, son monologue était différent selon son humeur et sa fantaisie. Là était le grand talent d'un merveilleux comédien. Malheureusement, nous avions ensemble quelques petites divergences d'opinions. Ça se passait surtout les soirs où je devais m'absenter. J'ai su, par les bonnes ou mauvaises langues, que ces soirs-là, Paul entreprenait d'interminables monologues et chambardait à sa guise la teneur de notre spectacle. De sévères discussions s'ensuivirent, et c'est là, je crois, que Paul prit la décision, avec un air de *beu*, de nous quitter en emmenant avec lui d'autres comédiens. Surtout peiné par la tournure des événements, j'ai senti que j'aimais trop Paul Berval pour être en réalité choqué contre lui. »

Paul explique : « Effectivement, Jacques Normand, souvent grippé, s'absentait, me laissant la direction du spectacle. Après les numéros réguliers de Raymond Lévesque, de Gilles Pellerin, et de Robert Cousineau au piano, venaient ceux des artistes invités. Puis je débutais mon monologue sur *Phèdre* pour environ cinq minutes. Mais voilà qu'arrivait Jack Horne affolé qui disait : "*Stretch the show ! Jacques is not here !*" Il faut dire que parler de Racine dans un cabaret dans les années 50 était périlleux, car ce nouveau genre faisait se bidonner la majorité des gens. Mais moi, sans penser que d'autres l'appréciaient moins, et surtout encouragé par tant de rires, je faisais facilement quarante minutes sur scène. Jacques, ne connaissant pas le fond de l'histoire et écoutant plus les propos défavorables que favorables, m'engueulait s'en tenir compte de ma version, en disant : "Berval tu n'es pas à l'opérette ici." C'est à partir de ces engueulades qu'est venue mon idée de fonder ma propre revue *Le Beu qui Rit.* »

Mais laissons ce chapitre sur une note plus joyeuse. Voici un court extrait de *Phèdre* de Racine, à la façon de Berval : « À peine nous sortions des portes de Trézène... Mais peut-être que vous ne connaissez pas tous les personnages. Y'avait évidemment Phèdre. Phèdre, c'était la reine, la femme de Thésée. Y'avait Hippolyte, Ti-Po pour les intimes. Hippolyte, y'était du premier lit. Non, y était du deuxième lit. Non, j'pense qu'y était du sofa, lui. Le roi Thésée était pas mal sportif, t'sais. Alors, y a évidemment la reine, qui est amoureuse de son beau-fils. A pas le droit, mais qu'est-ce tu veux, hein... L'amour, ça se commande pas. Y faut dire qu'Hippolyte était formidable : un grand gars, six pieds, deux cents livres, un " beu" ! Mais un bon "beu" frais. Agaçant l'appétit. Y se promenait dans le palais, et tout ce qu'y avait comme costume, c'étaient une ceinture pis une épée. C'est toute ! Alors la reine, quand elle vit ce beau jeune homme, elle fut là... Ah ! l'amour la prend !

Elle lui dit :

– Tiens ! Voilà mon cœur. Frappe ! »

Pis elle déchira sa robe, pis a y montra son sein. À s'en sacrait, à n'avait pas un autre de spair ! Alors là, le petit gars, y r'garda et y dit :

– A peur, a peur, madame ! »

– Aies pas peur, a peut, a pas d'poux, pas d'bibittes pis a pas d'pouelle ! »

Chapitre 8

Le Beu qui rit

Malgré les quelques divergences d'opinions qui subsistent entre Paul Berval et Jacques Normand, celui-ci admet tout de même que Berval est, sans aucun doute, le comique le plus talentueux et le plus populaire de tout son groupe, et que c'est à regret qu'il voit son ami prendre cette triste décision de la séparation. De toute l'équipe du Saint-Germain-des-Prés, c'est sûrement lui qui s'est, par son immense talent, le plus détaché. Quand les clients sortent, on entend souvent : « Non mais, est-ce que c'était drôle... Berval surtout. »

Et ce public a entièrement raison. Berval a toujours eu le tour de faire rire son public. Bien entendu, il partage la scène avec d'excellents acolytes comme Gilles Pellerin et Jean-Claude Deret. Souvent, ces deux comédiens lui servent de *straight man*. Il faut dire que Deret l'a spécialement bien secondé et ce, à plusieurs reprises. Leur numéro des deux clochards était des plus hilarant. Paul a toujours su soutirer de gros rires avec son langage joual. Il a une façon de mêler la belle langue française à ce parler typique. C'est d'ailleurs dans cette utilisation des deux registres de langues que Paul se fait le plus valoir. Sa façon de mêler notre parler de tous les jours aux grands classiques de Molière, Beaumarchais et de Racine est remarquable. Quelle belle manière de faire se tordre de rire son entourage.

De nouveaux horizons s'ouvrent à Berval. Un ami, Jean-Marie Bériault, propriétaire d'un tout petit restaurant nommé Le bœuf sur le toit, situé rue Sherbrooke à l'ouest de Bleury, est en mauvaise posture monétaire. Cependant, au lieu de vendre, il offre de louer ce local à Paul qui, justement se cherche un endroit pour présenter ses futurs spectacles. « Mon cher Paulo, lui dit monsieur Bériault, voilà l'endroit rêvé pour afficher différentes revues comiques comme toi seul peux en préparer et diriger. Le prix de location que je te propose est dérisoire et je suis assuré, qu'entouré de quelques bons artistes, tu sauras remplir ta salle et que tu ne seras pas perdant. » La jolie petite salle en question peut asseoir confortablement soixante-neuf personnes. Paul comprend bien qu'il ne pourra pas faire fortune avec ce nombre de spectateurs, mais s'il a la possibilité de l'accommoder pour cent trente-trois personnes, l'opération pourra être rentable. « Nous avions vraiment trouvé là un cabaret intime, dit Paul, parce que les artistes et les spectateurs seraient collés les uns sur les autres. Si par hasard nous avions plus que cent trente-trois personnes, n'ayez crainte, on les accrocherait sur les murs. Il me fallait une troupe fiable et talentueuse. Denis Drouin, Jacques Lorrain, Denyse Filiatrault, Dominique Michel et Jean-Claude Deret se joignirent à moi comme groupe régulier. Pour commencer les revues, il fallait absolument qu'on trouve de l'argent puisque, comme vous le devinez bien, nous n'étions pas subventionnés. Alors, chaque interprète y mettait du sien en se servant un peu de nos cachets de Radio-Canada pour faire tourner le Beu-qui-rit. La première année n'a pas été facile, je dirais même que c'était un réel défi. »

Le Beu-qui-rit vivra finalement de 1954 à 1960. Au bout d'un an, les entrées du public financent *grosso modo* le coût des spectacles. La mini salle est cependant toujours pleine à craquer. Les artistes préparent trois revues par année. Vers la fin de l'été, un temps généralement mort pour les spectacles de clubs de nuit, ils présentent la *Beu-qui-rit* à Québec où ils obtiennent toujours un grand succès. Le premier ami qui a bien voulu suivre Paul dans cette nouvelle aventure est Jean-Claude Deret. Il faut dire qu'au Saint-Germain-des-prés, Jean-Claude et Paul écrivaient ensemble des sketches. Bonne habitude qu'il a poursuivie au Beu-qui-rit. “Cet ami a été pour moi mon bras droit dans cette entreprise, confie Paul. Il faut dire qu'il avait beaucoup d'expérience dans ce domaine. Avant de venir à Montréal, il tenait à Paris une boîte à chansons nommée Le Caveau de la Huchette. Maître de ces lieux, en plus de présenter le spectacle, il faisait un numéro de clochard interprétant des chansons 1900 en s'accompagnant à la guitare. Nous avions repris ce numéro à deux au Beu, en y rajoutant de nombreux gags sur l'actualité. Je me souviens qu'un soir, entre deux numéros, nous avions voulu aller prendre un verre au restaurant Le 400 de monsieur Lelarge. Celui-ci, ne nous reconnaissant pas à cause de nos déguisements de robineux, voulait nous empêcher d'entrer. Heureusement que le portier nous avait reconnus. »

Mais revenons à Paris. Le Caveau de la Huchette y a vu naître de grands noms. Paul raconte : « C'était le deuxième contrat de Léo Ferré à Paris. Il chantait en s'accompagnant au piano et son gros chien assis à ses côtés semblait l'admirer éperdument. Roger Pierre et Jean-Marc Thibault débutèrent aussi chez Deret, ainsi que Jacques Douai et Francis Lemarque, bien avant la rencontre de celui-ci avec Yves Montand. Un jour, Jean-Claude me raconta qu'il était très habile dans la confection de costumes de scène. “Comment ? Tu fais des costumes ?” lui-dis-je, tout épaté ! “Bien oui, je suis couturier, me répondit-il. D'ailleurs à Paris, quand je faisais des spectacles, je confectionnais toujours les costumes, ou je les cherchais. Ça m'a toujours beaucoup plu. Quand j'ai écrit en France *Thierry-la-fronde* pour la télévision, je me suis occupé des costumes parce que je voulais qu'ils soient d'époque, ou du moins, qu'ils respectent à peu près l'époque où était censé se dérouler le feuilleton. J'ai toujours voulu cette précision.” »

Paul, qui a aussi à l'occasion la bosse des affaires, engage donc à prix modique notre ami Deret comme scripteur et costumier. Quand on change trop rapidement de sketch, Jean-Claude, qui n'a pas le temps de créer un nouveau costume, entraîne le patron sur la rue Craig chez les regrattiers pour acheter des costumes et aussi des accessoires. Vous comprenez qu'on n'est pas comme à Radio-Canada, on n'a pas les moyens de louer. On achète, cela coûte moins cher que de les louer. Paul poursuit : « Ah ! j'vous dis qu'on avait de très beaux costumes. Jean-Claude était un grand artiste dans ce domaine. Jacques Lorrain avait, pour sa part, la responsabilité des décors et de la peinture. Comme la scène mesurait environ sept pieds de large par quatre pieds et demi de profondeur, et qu'on était parfois sept dessus, plus le piano, il ne restait que peu de place pour de gros décors et, surtout, il manquait d'espace pour en faire les changements. Je me souvins alors que j'avais vu à Paris les gens d'une petite boîte à chansons se servir d'une fenêtre ouverte et hautement juchée en haut de la scène, donnant ainsi l'avantage durant le temps d'une présentation faite en ce lieu de changer, plus bas, décors et accessoires. À partir de cette idée, Jacques Lorrain nous construisit une jolie fenêtre surmontée d'une amusante tête de bœuf dessinée par Normand Hudon. La commère du Beu-qui-rit, quelquefois nommée aussi la génisse, présentait de cette fenêtre les différents numéros de la revue. Elle était personnifiée au début par Janine Mignolet, suivie plus tard de Yolande Roy, et finalement par Odile Adam. La jolie fenêtre servait aussi à l'occasion à des monologues et parfois à des chansons. Pierre Beaudet, décédé en février 2002, fut le premier pianiste de la série, avant d'être remplacé par Roger Joubert. »

Pour quelques instants, notre machine à remonter le temps nous entraîne un soir au Beu-qui-rit, un 20 décembre 1954 : la petite fenêtre s'ouvre pour laisser paraître Yolande Roy : « Bonsoir mesdames, mesdemoiselles et messieurs ! Bienvenue au Beu-qui-rit. Nous avons le plaisir de vous présenter notre revue *Un beu de tout* ! Et voici, pour commencer notre première petite tête de bétail, le gros chef du troupeau, Paul Berval. Paul sur scène chante sur l'air de *Fleur bleue.* La chanson débute alors très vite :

Un doux parfum qu'on respire
C'est l'p'tit beu,
Plus difficile à dire
C'est un beu.
Là que pour sourire
C'est l'beu, c'est l'beu, c'est l'beu.
Toujours le p'tit beu pour rire
C'est l'beu.
On peut dire qu'il est pas pire
Le p'tit beu.
Quand revient le mois d'avril
Qui est-ce qui rit?
C'est l'beu.

Une fois cette présentation terminée, Paul s'adresse au public : « Bonsoir mesdames, bonsoir mesdemoiselles, bonsoir messieurs. Permettez-moi tout d'abord de vous présenter la superbe génisse de la troupe. On fait tout en "beu" icitte. Voici la toute ravissante et toute blonde Yolande Roy. »

Yolande chante :

Ça c'est passé dans une soirée,
J'avais un beau cavalier
C'était un beau p'tit veau frisé.
Et comme y était ben shiné
y m'a dit, tasse-toé donc
y faut que génisse se tasse
y m'a dit tasse-toé donc
J'y ai répond.
Qui va jumper sus l'casseau
va revirer en smoked meat.

Paul s'exclame au centre de la scène : « BravoYolande ! Pour continuer, il me fait plaisir de vous présenter cette fois-ci un "beu" importé. Un beau "beu" qui a traversé à la nage la grande mare. Un jeune homme qui a beaucoup de talent, le très honorable et distingué Jean-Claude Deret ! »

Et Jean-Claude d'enchaîner son numéro : « Un jour Paul Berval, lassé d'être sage et de toujours marcher dans les mêmes sillons, ouvrit l'Beu-qui-rit et rempli d'courage, partit à la chasse aux bouvillons. J'étais importé, mais quelle importance ! Sans craindre les potins ou les illusions qu'on fait bien souvent sur les cousins d'France, il me prit parmi ses bouvillons. Oui, je suis un bouvillon. Par contre, je vous signale également que messieurs Paul Berval, Jacques Lorrrain, Robert Rivard et moi-même, ici présents, nous sommes les hommes les plus vite déshabillés. »

Sous les rires des spectateurs, les comédiens précités se réunissent alors au centre de la scène et chantent : « *Public, permettez donc qu'on vous présente un "beu" de tout, un "beu" de tout. Public, entre nous c'est sans importance. Nous on s'en fout, nous on s'en fout. Des trucs de fou, des trucs de fou, des niaiseries, des vacheries, de l'insolence à cause des sous, à cause des sous. Bienv'nue, bienv'nue chez le Beu-qui-rit. Bienv'nue,bienv'nue chez le Beu-qui-rit, Le Beu-qui-rit, le Beu-qui-ra, le Beu-qui-rit, le Beu-qui-ra. Oui, le "beu" rira, l'public aussi... Ça on verra !* »

« Ainsi se déroulait à peu près le début de nos spectacles, en rit encore Paul. Comme vous le constatez par ce bref aperçu, il n'y avait rien de sérieux chez nous. Souvent, nous prenions de vieilles chansons françaises dramatiques dites réalistes — vous savez, des chansons qui ont pour but de faire chialer ceux qui les écoutent — et nous les déboîtions à notre façon, c'est-à-dire qu'on leur donnait, pour faire rire notre public, une tout autre signification. Une de nos plus belles réussites dans le genre fut la chanson *Le train fatal*, un grand succès des fabuleux Frères Jacques. Cette parodie produisait tant d'hilarité continue dans la salle que nous l'avons gardée à l'affiche plusieurs mois. Les Frères Jacques, de passage à Montréal où ils étaient en vedette au Café Saint-Jacques, ayant vent de notre grand succès avec leur chanson, assistèrent un soir à notre spectacle. Curieux, je portai une attention spéciale à leur réaction. Je fus soulagé de les voir rire à gorge déployée. Ils vinrent nous voir après le spectacle et nous dirent : “Mais comment vous avez fait ça ? Nous avons également essayé une telle parodie en France et on a pris un bide terrible !” Je leur répondis spontanément, les yeux mi-taquins, mi-malicieux : “C'est sans doute, messieurs, soit que les français ne savent pas rire, ou bien que vous ne savez pas travailler la parodie !” Les Frères Jacques, bons princes, prirent ma remarque à la rigolade. »

Comme pour les Frères Jacques, de nombreux artistes français ou québécois, qui travaillent alors à Montréal, viennent voir après leur propre *show* le très couru spectacle du Beu. Paul garde toujours en permanence une table tout près de la scène pour ces visiteurs inattendus. Un soir, il a la surprise de voir arriver à l'improviste et sans réservation, ses deux copains d'enfance Yves Charlebois et Roger Trahan avec quelques camarades. Roger Trahan raconte : « J'étais parti une journée avec des amis pour faire des visites industrielles, puis en revenant, un gars du groupe me dit : “Tu connais Berval, amène-nous donc au Beu-qui-rit.” On est arrivé là vers onze heures. Il y avait une grande filée de gens qui attendaient pour entrer. Je suis monté à travers toutes ces personnes, qui m'ont crié des bêtises, et j'ai frappé à la porte en disant très fort : “Je suis un ami de Paul Berval.” J'ai eu aussitôt la surprise de voir Denyse Filiatrault m'ouvrir la porte. Je lui ai demandé si Paul était là; il est arrivé rapidement.

En me voyant il me dit : "Y'a pas de places." Je lui ai répondu : "T'as besoin de nous en trouver, mon Berval." Il nous fit alors asseoir autour d'une jolie table et, d'un ton impératif, il nous dit : "Vous avez besoin de prendre un coup, par exemple, mes vlimeux, sinon !" Le spectacle était extraordinairement bon et on a tellement ri et tellement bu qu'on a fermé la place à trois heures et demie du matin. »

« Mis à part notre travail régulier du soir, raconte Paul, nous acceptions souvent de présenter notre spectacle dans différentes institutions. Ainsi, nous avons été invités à donner un gala entre seize et dix-neuf heures chez les frères Maristes. Notre représentation y fut fort appréciée. Le spectacle fut suivi d'un succulent repas arrosé d'un cidre pétillant. J'étais assis à coté de mon ami Jean-Claude Deret que je nommais souvent Jésus-Christ Deret, sans doute inspiré par ses initiales. Nous nous amusions ferme, quand soudain, en bon patron que je suis, je constatai qu'il était l'heure de se rendre à notre cabaret. En regardant Deret, je dis : "Dis donc, c'est pas tout de s'amuser comme ça ! Il y a le spectacle ! C'est l'heure de se rendre au Beu, il faut te lever, Jésus-Christ, il nous faut aller travailler !" Cette phrase-là produisit un gros effet. Un froid glacial parcourut l'assistance, suivi d'un brusque sursaut chez les bons pères. Bredouillant, je me suis retourné vers eux en disant : "Ne vous en faites pas, on l'appelle comme ça, mais c'est pas lui le véritable Jésus-Christ. C'est pas le bon !" Un rire de détente parcourut l'assistance et, après de chaleureux remerciements de notre part, nous avons regagné nos locaux du Beu-qui-rit. »

La troupe du Beu est aussi ponctuellement invitée à la télévision, notamment à l'émission *Music-Hall*, présentée le dimanche soir par Michelle Tisseyre. Le réalisateur Roger Fournier est celui qui a eu l'idée de les inviter à différentes reprises. Roger s'explique : « Lorsque j'ai été nommé réalisateur de l'émission *Music-Hall* à Montréal, je connaissais déjà Paul Berval par le Beu-qui-rit. Ils étaient venus jouer à Québec, où j'étais allé les voir Chez Gérard. Je me souviens, Paul faisait en monologue la recette de la tourtière. Il disait : "Pour faire une tarte, y faut de la farine. Pour faire de la farine, y faut du blé. Pour faire du blé, y faut des champs pour le semer. Vous autres à Québec, là, sur les Plaines d'Abraham, vous avez de grandes étendues !" Il va sans dire que Paul ajustait ce monologue à l'endroit où il le récitait. J'admire chez Berval l'intelligence, la bonhomie, la spontanéité, et cette espèce d'explosion qui arrive à un moment donné et provoque le rire. Paul possédait cette philosophie, ce sens inné de faire jaillir le rire au bon moment. Je trouvais cette qualité en lui extraordinaire. J'aimais cet humour que Paul avait su inculquer à sa troupe du Beu-qui-rit. C'était la base du comique moderne à Montréal pour l'époque. J'aimais réaliser au petit écran ce style cabaret. Ce qui en fait une télévision vivante et nerveuse. Avec la troupe du Beu-qui-rit, j'étais bien servi. Aussi, pour le grand plaisir du public, chaque fois que je faisais des émissions comiques, je les engageais. »

Music-Hall est une émission de variétés d'une heure. Une répétition de deux heures pour la musique est requise. Elle est réalisée le samedi. Les sketches du Beu se font le jour même en salle de répétition. Le lendemain, jour de l'émission toujours diffusée sur le vif, le technicien rentre en studio à sept heures le matin pour vérifier l'éclairage. Vers dix heures, on procède au *blocking*. À midi, il y a le lunch, puis à deux heures, on répète l'émission au complet. Michelle Tisseyre regarde attentivement le déroulement des répétitions. Avant le repas du soir, l'assistante du réalisateur fait part à Michelle des différents minutages afin que celle-ci puisse écrire adéquatement ses textes de présentation. Ceux-ci doivent varier de trente secondes à une minute et demie selon le cas. Pendant le souper, Michelle Tisseyre rédige ses présentations. Au retour, on procède à la générale. L'émission a toujours un minutage très serré pour que le rythme soit rapide et enlevant. Au collège St-Laurent où elle est diffusée en public, il existe une mezzanine où se trouve la salle de régie. La caméra numéro 1, sauf exception, prend toujours les présentations de madame Tisseyre placée devant un rideau spécial. Par précaution, durant la répétition générale, pendant que Michelle parle devant la 1, Roger Frappier sort sur ce petit balcon, un endroit qui lui donne une vue d'ensemble du plateau où se déroule toute l'action, et il regarde les machinistes monter les décors derrière le rideau. Lorsqu'il voit que l'émission touche à sa fin, il revient dans la salle de contrôle et dit à l'assistant à la production : "Fais signe à l'animatrice de couper." La majorité du temps, Michelle et lui sont très bien coordonnés. « Michelle Tisseyre avait ce génie du minutage que nul animateur ou animatrice n'a eu par la suite, dira-t-il d'elle. Aussi, je lui rends hommage. Elle était dotée d'une grande intelligence, de beaucoup de savoir-faire et de présence d'esprit. Je considère Michelle Tisseyre comme l'une des plus grandes animatrices de télévision. Madame Tisseyre était une femme généralement sérieuse, mais elle savait aussi s'amuser, surtout lorsque le Beu-qui-rit participait à l'émission. »

« Je me souviens, dit-elle, d'un numéro époustouflant sur la vie des toréros. Berval était un toréro délirant. Moi, j'étais morte de rire. Ce soir-là, j'étais assise à une petite table dans un coin isolé du studio car mon fils Charles, alors âgé de huit ans, assistait à l'émission. Les facéties, les mimiques, les actions extravagantes du toréro Berval étaient si drôle que mon fiston, mort de rire, était tombé en bas de sa chaise. Cet incident, au lieu de décourager notre bouffon Berval, l'encouragea à en mettre plus encore si bien que la salle entière était étouffée de rire. Imaginez la difficulté que j'ai eu à présenter sérieusement Dominique Michel dans sa prochaine chansonnette. C'était une grande époque pour le comique. Il y avait quelque chose qu'il n'y a plus maintenant. Nous trouvions chez nos comiques une joie de vivre sans vulgarité. Ça donne à réfléchir à nos humoristes d'aujourd'hui. »

La toute jolie Odile Adam succède à Yolande Roy, et Roger Joubert remplace Pierre Beaudet. Selon le *Journal des Vedettes* et *Radiomonde*, voici un aperçu sommaire de quelques numéros du Beu-qui-rit : « Paul Berval et ses amis jouent dans leur charmante petite boîte de la rue Shebrooke Ouest deux fois par soir, trois le samedi, et pas du tout le lundi. Le spectacle commence avec une parodie chantée sur les journaux de la métropole. Puis Dominique Michel fait seule trois chansons, et une en duo avec Roger Joubert. Paul Berval, toujours cocasse, fait un monologue qui devrait passer à l'histoire, intitulé *L'homme grenouille*. »

Dans le *Photo-Journal* nous lisons : « Le spectacle du Beu-qui-rit est gai, divertissant du commencement à la fin. Un véritable feu roulant de gags et de bons mots. Nous assistons à une tragédie nouvelle *Beu-kirius*, où la troupe tout entière déploie des dons étourdissants de fantaisie.

Deret joue Bonaparte et Napoléon ; Dominique Michel et Denyse Filiatrault mettent tous les soirs la salle en joie car, costumes de Joséphine à l'appui, elles parodient, avec un sens aigu de la farce, les fillettes des concours d'amateurs et leurs terribles mères ; l'actualité est passée au crible par les quatre as reporters Berval, Deret, Drouin et Lorrain. »

Dans le *Journal Radio-Photo* : « L'équipe du Beu-qui-rit est l'une des meilleures troupes qu'on ait jamais réunie pour un spectacle de cabaret. Une fenêtre s'ouvre livrant au public les charmes d'une *pin-up* de première qualité. C'est Odile Adam qui, tout sourire, annonce que le spectacle est placé à l'enseigne de la moralité! Premier bon point : nous sommes véritablement dans un théâtre qui se veut de plus en plus de style chansonnier. Une grande revue de presse suit. Détail charmant, chaque membre porte un chapeau de matelot arborant lestitres des grosses manchettes de nos principaux journaux locaux. Chacun entame un petit couplet sur ladite publication. Cette revue de la presse est fine et laisse transpirer à quel point les comédiens ont saisi l'esprit de chaque journal en particulier. »

Dans le *Radiomonde*, sous la plume d'Henri Poulin : « J'ai ri comme un cheval au Beu. C'est le meilleur spectacle local qu'il m'ait été donné de voir en première. Un seul reproche est possible : on en a trop pour son argent. Paul Berval s'est rendu célèbre ici avec ses fameuses parodies des grandes œuvres classiques. Dans son inspiration, au service d'une fantaisie qui ne décroît pas, quel beau mélange il nous donne dans ces diverses citations. Et quel émerveillement que ce rappel du Faubourg-Québec et de ses environs. Ce César attendant l'arrivée de son fils parti faire une guerre placée sur le plan des finances, c'est certainement du très bon Berval. Son très digne fils Jacques Lorrain est sensationnel en racontant, tel un guerrier antique, les péripéties de ses très hauts exploits. Ceux-ci ne manquent pas de sel. Retrouvons un garde fidèle, rempli de bonne volonté et auquel on donne constamment le même ordre : "Dehors !" C'est Denis Drouin qui nous amusera toujours. Finalement, en gros méchant usurier commanditant la guerre et au service de la moralité de la ville, c'est Jean-Claude Deret qui a bien du mal à se prendre au sérieux dans ce rôle de vilain ! Bref, au total un fort joli moment à passer en compagnie d'une excellente troupe de comiques. »

De Roland Côté, dans *Le Petit Journal* : « Il n'y a pas de meilleur remède contre la cafard que le rire, et il n'y a pas d'endroit à Montréal où l'on puisse rire autant qu'au Beu-qui-rit. Depuis huit ans, je vois tous les spectacles de cabaret de la métropole et je n'en ai pas encore trouvé d'aussi bien fait, d'aussi propre, d'aussi divertissant que celui du Beu-qui-rit. Nous retrouvons avec plaisir quatre journalistes fort sympathiques, crayons en main, qui font une entrevue avec le Président de la France Péronne, un monsieur qui connaît les secrets de la Princesse Margaret. La Comédie Française également, et bien d'autres encore qui ont tous le mot pour rire d'ailleurs. Ces merveilleux journalistes sont tour à tour, Jacques Lorrain. Denis Drouin, Jean-Claude Deret et Paul Berval. »

Dans *Le Devoir*, de Gilles Marcotte : « Un spectacle d'une qualité exceptionnelle. Vrai. Un des meilleurs spectacles du genre jamais présentés à Montréal. Une impression générale d'hilarante satisfaction. Bonaparte visite Napoléon via Sacha Guitry. Ce sketch est une trouvaille. On a en effet imaginé, sortant de l'écran du Cinéma de Paris, Bonaparte rencontrant Napoléon. Chacun discute de sa partie dans le film et dans la vie. Jean-Claude Deret parlant de la Corse, des petites et grandes femmes de Paris est d'une drôlerie fantastique. Paul Berval se rappelant différentes phases de son existence comme ces multiples parties de pêche qu'il relate avec beaucoup de bonne humeur. Tous deux se quittent, l'un parce qu'il est de la première moitié du film, l'autre pour aller au cinéma d'à côté voir un western, attendu que la vie de Napoléon l'ennuie, étant décidément trop longue. »

Dans *Le Petit Journal*, du critique Jean Hamelin : « La troupe de Paul Berval est impeccable. Tout est extrêmement drôle et de bonne compagnie. Sans aucun doute, le sketch le plus désopilant est celui où Denyse Filiatrault, en bonne mère canadienne de nos faubourgs, s'amène avec son enfant prodige, une charmante petite peste jouée magistralement par Dominique Michel pour remplacer l'artiste qui manque au Beu. Il faut avoir vu les concours d'amateurs pour comprendre à quel point, ce très court tableau peut être une étude de mœurs approfondie. Denyse et Dominique y sont parfaites. Rien n'y est omis. »

Paul Toupin écrit dans *le Journal L'Autorité* : « Il y a dans ce spectacle beaucoup de talent, beaucoup d'esprit et des mots excellents. Paul Berval ne nous fait pas que rire. Il nous donne envie de le dépecer en larges tranches, de le manger comme un *Boston steak*. Denyse Filiatrault nous surprend chaque fois un peu plus. Cette jeune fille, qui n'a manqué dans le passé que de direction, est actuellement avec Paul Berval entre de très bonnes mains. On a raison de lui faire confiance. Elle est de la race des Juliette Huot et des Juliette Béliveau. C'est une comique née qui n'avait pas osé jusqu'à maintenant suivre sa voie. À la voir évoluer au Beu-qui-rit, nous sommes assurés que cette artiste ira très loin. Bravo Paul Berval pour cet autre genre de réussite. »

Enfin, dans *Samedi-Dimanche*, de Jean Desprez : « Ils ont gagné la partie. La soirée fini toujours par un triomphe ! Allez au Beu-qui-rit, vous vous amuserez bien. »

« Pour moi, dit Paul Berval, le Beu-qui-rit a été une époque merveilleuse, et tomber sur des artistes tels Denis Drouin, Jean-Claude Deret, Jacques Lorrain, Dominique Michel et Denyse Filiatrault, ça a été un véritable bonheur. Oui, j'ai été heureux de pouvoir établir cette troupe. Pour moi, ce fut aussi une façon de m'exprimer dans un vrai cabaret théâtre. Vive cette époque du Beu-qui-rit ! »

Voici une critique élogieuse au sujet de Paul Berval parue dans la revue *La Semaine* : « Berval commence un monologue sur un ton pompeux, solennel et funèbre, puis, au moment le plus inattendu, il bute, bafouille, s'empêtre volontairement et retrouve, comme spontanément, son plus gras accent canadien. La salle meurt de rire. Il peut aussi bien d'ailleurs opter, sans crier gare, pour l'accent italien ou espagnol, assuré de faire rire à tout coup, car Berval est un rigolo, un truculent, un snob, un chanteur, un comique, un clown ! Berval, c'est le Beu-qui-rit ! C'est une institution pour la dilatation de la rate au Canada. »

Chapitre 9

La télévision change Montréal

On ne fait pas d'omelettes sans casser des œufs ! Pendant que Paul Berval effectue son passage du Saint-Germain-des-Prés au Beu-qui-rit, un drame important se passe au poste CBF de Radio-Canada. Cette tragédie ouvrira les portes à un grand rêve caressé depuis longtemps par la société d'État. Mais revenons un peu en arrière dans le temps.

Germaine Dandois, alors *speakerine* radiophonique, nous raconte cet important événement survenu le 8 janvier 1948 : « Ce jeudi, vers trois heures de l'après-midi, j'étais au studio G-7 de Radio-Canada, située au King's Hall rue Ste-Catherine coin Drummond. Nous étions en pleine répétition générale du Radio-théâtre commandité par *Ford Motor of Canada*. L'émission *Sortilège*, de Christian Jacques, devait être diffusée le soir même. Elle mettait en vedette Sita Riddez, Albert Duquesne, Fred Barry, Judith Jasmin, Robert Gadouas, Roland d'Amour et René Verne. Miville Couture et moi-même étions les annonceurs de cette populaire émission réalisée par Bruno Paradis. La répétition allait très bien, et rien ne laissait présager un drame… Puis, tout à coup, une violente secousse nous projeta au-dessus des appareils techniques dans la grande vitre où, généralement, les spectateurs venaient nous voir travailler. L'électricité manquant, nous avons été plongés en pleine obsurité, et les systèmes de protection d'incendie nous arrosèrent copieusement. Gelés, grelottants et surtout effrayés, nous nous tenions tous par la main pour tenter de sortir du studio. Lentement nous nous sommes dirigés à tâtons vers la porte qui heureusement n'était pas bloquée. Si le plancher de l'endroit où nous étions ondulait dangereusement, celui de l'extérieur avait l'air solide. Pour sortir de l'édifice, nous nous sommes donc rendus à l'escalier qui donnait accès à la ruelle. Nous avons constaté à notre grand désarroi qu'il avait été démoli par cette terrible explosion. Une fumée dense, mêlant le plâtras à la vapeur, montait par le trou béant. Nous nous sommes rendus tant bien que mal vers l'escalier de secours. La descente, dans l'ignorance exacte de la tragédie, fut longue et mouvementée. Enfin à l'extérieur, nous nous sommes dirigés vers un hôtel où les autorités nous servirent du café chaud. L'émotion nous avait rendu muets. Nous nous regardions, hébétés, sans même remarquer que nous étions barbouillés de suie et que nos cheveux dégoulinaient d'eau. On nous apprit alors la cause de cette explosion, qui nous révèla la triste mort d'un jeune garçon qui avait remplacé son père pour quelques minutes à la chaufferie des fournaises. Ayant remarqué qu'il n'y avait plus d'eau dans les chaudières, il avait ouvert par mégarde le robinet d'eau froide pour les remplir. Pensez à la force de la vapeur qui se développe dans ses chaudières vides, chauffées à blanc. Au contact de l'eau froide, le malheureux avait été projeté entre les tuyaux, et sa mort avait été instantanée. C'était un étudiant. Nous avons été, vous le comprenez bien, tous bouleversés par cette atroce nouvelle. Durant un certain temps, les postes radiophoniques privés CKAC et CHLP diffusèrent pour le public toutes les émissions payées par d'importants commanditaires. *Sortilège* fut pour sa part diffusé avec la courtoisie du poste CHLP le 15 janvier 1948. Avouez que le titre convenait à la circonstance. »

Quelques semaines plus tard, Radio-Canada achète l'ancien Hôtel Ford, situé au 1425 Dorchester Ouest, devenu aujourd'hui le boulevard René Lévesque. On diffuse rapidement de ces nouveaux studios les émissions radiophoniques régulières et, en cachette du public, on procède à l'aménagement des futurs studios de télévision. C'est un grand projet de précision qui se fait lentement mais sûrement. Mais on ne cache pas longtemps une si importante décision. Malgré le secret que l'on croit bien gardé, il plane quand même d'insistants ragots. Aux alentours de 1950, la rumeur publique s'avère vraie : la télévision deviendra sous peu une réalité. Puis l'année 1952 est avancée comme étant la date définitive pour ce mirobolant projet. Dès lors, des appareils de télévision font leur apparition dans les vitrines des grands magasins. Les prix sont si élevés que seuls les gens riches peuvent se payer ce nouveau luxe.

Entre plusieurs écrans enneigés, les futurs téléspectateurs privilégiés peuvent voir de temps à autre sur leur superbe poste de télévision des essais d'émissions qui ne surviennent jamais à heures fixes. Lise Roy, Jacques Normand, Gilles Pellerin, Jean Duceppe et Paul Berval sont les premières vedettes aperçues sur ces mystérieux petits écrans.

Berval raconte sa première expérience en circuit d'essai : « Avec Jean Duceppe et Gilles Pellerin, nous avions fait pour l'occasion un truc complètement fou. Je jouais le rôle d'un gars qui arrive chez le psychiatre (Jean Duceppe), et je lui disais : "Je viens pour mon frère qui s'prend pour un cheval. Attendez quelques secondes pis y va arriver icit ben fringant avec les quat'fers en l'air." Puis, apercevant un squelette : "Ah ben ! Mon doc, vous avez donc un beau squelette dans vot bureau ! Y'és tu mort comme ça tout déshabillé ? Qu'est c'est qui l'a tué de même ?" Le psychiatre, un peu fou lui aussi, répondait : "C'est l'abus, l'abus d'l'acide nitrique d'abord, et ensuite ç'a dégénéré. Pour commencer, la peau est tombée, pis ses vêtements ont suivi. J'les ai gardés pour aller faire mon magasinage." Gilles Pellerin entrait alors en hennissant, une pesée de cheval accrochée au cou, et sur la tête un vieux chapeau de paille percé par deux grandes oreilles de cheval qui se tenaient bien droites. Tout en piaffant et en regardant le docteur directement sous le nez, il lui disait : "Voulez-vous me guérir, monsieur le docteur psychiatre ?" Après deux retentissants hennissements du dit fou, le docteur répondait : "Oui, mon beau Bronco, j'm'en va te guérir tout de suite." Berval intervenait alors : "Non, non, mon Doc. Guérissez-le pas, gagez à la place un cinq cents avec nous autres, parce que figurez-vous qu' on a gagé dessus. Y court à soir à Blue Bonnets !" »

Il n'est pas surprenant de voir apparaître au petit écran et ce, même avant l'ouverture officielle, le sympathique Paul Berval. N'oublions pas qu'il est en ce temps-là l'une des plus grande vedettes du monde du spectacle. On le voit partout, au théâtre, au cabaret, dans des films canadiens à succès, et on l'entend si souvent à la radio qu'il nous est tout à fait impossible d'énumérer toutes les émissions auxquelles il participe soit en tant qu'animateur, ou bien comme *disc-jockey* ou invité spécial. Mentionnons tout de même *Grande Allée* (CKVL) et *Rue Principale,* qui se poursuivra très longtemps sur les ondes de CBF, après avoir brillé de longues années sur le ondes de CKAC. Sans compter *Le Diable s'en mêle* (CKAC), *Un Beû de tout* (CKAC), *Yvan L'Intrépide* (CBF) et un projet de CKVL, qui verra le jour en 1967, intitulé *Les Copains.* La télévision ne tarde donc pas à ouvrir toutes grandes ses portes à Paul Berval.

Le 6 septembre 1952 a lieu l'inauguration officielle de la télévision canadienne dans le superbe hall de l'ex-Hôtel Ford, devenu le premier poste de télévision à Montréal. À dix-neuf heures bien précisément, les nouveaux téléspectateurs contemplent sur le petit écran enneigé la tête d'indien emplumée et, au bas de l'image, on peut lire CBFT, Radio-Canada. Aussitôt, la belle figure d'un Henri Bergeron souriant prend place sur l'écran noir et blanc. Il souhaite dans les deux langues officielles la bienvenue aux gens qui le regardent. Il présente par la suite Aurèle Séguin, directeur de la télévision française, Alphonse Ouimet, président de Radio-Canada, et Davidson Dunton du bureau des gouverneurs de Radio-Canada. Henri Bergeron raconte : « Quand vint le moment des entrevues, le premier à se joindre à moi fut le maire Camilien Houde, dont je connaissais la facon et le sens du spectacle. Madame Houde, qui l'accompagnait, semblait intriguée de voir son mari à l'écran. Monsieur le maire y alla de quelques boutades au sujet du nouveau médium qui lui permettait de communiquer plus directement avec ses administrés. Sans doute faisait-il allusion au fait qu'il remplissait bien l'écran, car il avait le don de s'amuser de sa rondeur. » Puis, Henri, au studio 41, lit le premier bulletin d'information télévisé, une cérémonie religieuse est animée par le Père Georges-Henri Lévesque, relayée par un programme de divertissement. Jean-Yves Bigras réalise au studio 19 une émission de variétés intitulée *Club d'un soir*. Alan McIver en est le chef d'orchestre, et Jean Rafa, l'animateur principal. On y retrouve en vedette Gaston Dauriac, Norma Hutton qui chante en anglais, Aida Aznavour, Guylaine Guy et Paul Berval, co-animateur avec Rafa et qui fait aussi d'amusantes apparitions surprises. Les textes sont de Jeanne Frey, et le décor de Jacques Pell.

Le lendemain, les quotidiens parlent généreusement de ces premières variétés télévisées. La soirée s'était terminée par un téléthéâtre, *Œdipe Roi*, mettant en vedette Jean-Louis Roux et Sita Riddez. Ce que tous les télespectateurs ignorent, c'est que le réalisateur Georges Groulx a eu peur de devoir mettre fin à son émission lorsqu'une de ses deux caméras est tombé en panne en cours de route. Heureusement, Roger Morin, directeur technique génial, a sauvé la production en s'improvisant réalisateur pendant six bonnes minutes. Il a dû se livrer à de véritables mouvements d'acrobatie pour arriver à continuer le jeu sans que les comédiens ne soient déroutés, le temps de réparer cette caméra défectueuse.

Pierre Pétel, l'auteur de la musique du film *Les lumières de ma ville*, devenu réalisateur à la télévision, met sur pied la première série d'émissions de variétés qui s'intitule *Café des artistes*. « L'idée générale de l'émission, rapporte Pétel, était relativement simple. Pourquoi ne pas reproduire pour le petit écran la vie en coulisse de ces artistes qui faisaient marcher un cabaret tel que le fameux Saint-Germain-des-prés ? » Il crée donc un décor semblable à celui de la célèbre boîte à chansons, décor dans lequel évolue bien sûr Jacques Normand, le directeur. Celui-ci prend bien vite conscience que la télévision, ce nouvel attrait de la communication, permet aux gens de profiter plus intimement de leurs artistes préférés. Il présente donc cette émission de façon gavroche et désinvolte, tout en laissant croire à une certaine improvisation de sa part, créant ainsi, au départ, une émission de saine détente. Pierre Pétel donne comme partenaire de chansons à Jacques la délicieuse Colette Bonheur. Ce duo plaît aux gens, qui ont besoin de se détendre après de dures journées de labeur. Pour les gags comiques, le choix de Pétel tombe sur nul autre que Paul Berval et son copain Gilles Pellerin. Celui-ci porte un costume ridicule, semblable à celui qu'endosse le portier du célèbre restaurant Chez Maxim's à Paris. Il s'agit d'un uniforme d'officier haut gradé et chamarré de médailles. En plus de son rôle de portier, Gilles participe aux différents sketches de l'émission. Pour les caricatures, le talentueux Normand Hudon est tout indiqué. Bien entendu, de brillants artistes tels que Charles Trenet, les Compagnons de la Chanson, Patachou et Félix Leclerc sont invités à chaque émission.

« Probablement, pense alors le réalisateur, qu'un peu de la tendresse et du glamour des chansons interprétées par la délicieuse Lucille Dumont ajouteraient une couleur toute spéciale à cette demi-heure sans prétention.» Lucille, la seule qui n'a pas fait partie du groupe du Saint-Germain, se dit très heureuse de côtoyer ces joyeux drilles. Madame Dumont est une artiste toute simple. Elle n'aime pas le titre de « La grande dame de la chanson » qu'on lui a donné. Elle craint que ce nom pompeux puisse créer entre elle et son public un certain écart.

Pourtant, il n'en est rien ! Bien au contraire. Tous les artistes choisis et précités sont enchantés de participer à cette première série de variétés télévisées. Les téléspectateurs eux, sont charmés de voir évoluer une fois par semaine ces artistes dans le cadre d'une émission si sympathique. Même si, parfois, on y décèle quelques petits accrocs, le public, bon prince, pardonne facilement à cette fulgurante nouveauté. D'ailleurs, les vedettes du petit écran n'en sont-elles pas à leurs premières armes dans ce nouveau média ? Le public tient compte de cela.

Paul Berval agit à titre de maître d'hôtel et se livre à des facéties dont le succès assuré est toujours irrésistible. Il est également désopilant en garçon de café, et soyez assurés qu'il n'est pas en reste lorsqu'il participe à toutes les petites scènes comiques que présente l'émission. Jacques Normand explique : « Nous avions trouvé un certain nombre de numéros amusants montés pour la scène de notre cabaret. Le décor, étant une réplique du Saint-Germain, c'est-à-dire une petite boîte sans grande prétention mais avec un petit côté parisien, faisait en sorte que ces sketches passaient très bien à l'écran. »

Café des artistes présente aussi un groupe de danseurs. Ces jeunes gens travaillent de nombreuses heures avant l'émission dans une salle de répétition inconfortable. Le chorégraphe, habitué à préparer des numéros de danse pour des salles de théâtre, pense rarement que le produit fini est destiné à un studio de télévision. Résultat, les pauvres danseurs font face à la réalité d'un petit décor de studio télé, et doivent transposer tous leurs mouvements appris et répétés dans des conditions erronées afin de satisfaire un réalisateur dont l'optique principale est de faire entrer ce numéro de danse dans le cadre de ses trois caméras de télévision. Mais ces professionnels de la danse sont des gens de grand talent, et leur numéro, finalement, passe toujours très bien la rampe. Un autre problème cependant, en ce temps-là, écrase les danseurs. Un certain public catholique et très pudique, refuse de voir de jeunes filles évoluer en tutu, et des garçons en collant. Ces gens pétris de puritanismes accusent le scandaleux poste de télévision de Radio-Canada de présenter des images indécentes. Heureusement, les temps ont bien changé ! La critique écrite et le public en général de ce temps-là furent très sévères et même injustes envers ces jeunes danseurs qui en étaient eux aussi, ne l'oublions pas, à leurs premières armes télévisées. Honnêtement, ils donnaient toujours un bon numéro de danse et *Café des artistes* a toujours eu la réputation de présenter d'excellentes émissions.

Depuis ses débuts en septembre 1952, la télévision se porte bien. Environ six mois plus tard, la télévision française se sépare de la télévision anglaise. Celle-ci devient CBMT, et le réseau francophone demeure CBFT. Le dimanche soir, l'émission *Music-Hall*, animée par Michelle Tisseyre, prend glorieusement la place qui lui est due. Mais la partie sera vraiment gagnée les mercredis soir avec la réalisation de la populaire *Famille Plouffe*, un téléroman de Roger Lemelin dans lequel les familles du Québec se reconnaissent comme si elles se miraient dans cet écran. L'émission d'une demi-heure prend place entre vingt heures trente et vingt et une heures. Tous les gens n'ont pas la chance d'avoir chez eux un téléviseur, mais les gens plus fortunés invitent parents et amis à visionner *Les Plouffe* chez eux. Une fois l'émission diffusée, on fait un petit party sur les lieux et on discute des différents événements arrivés au sein de la populaire famille. Ces petites fêtes durent souvent très tard, si bien que les cinémas, les clubs de nuit, les théâtres, les restaurants et les salles de danse demeurent à cent pour cent vides.

La distribution des rôles de cette formidable série télévisée est magnifique. Jugez-en par vous-même : maman Plouffe est interprétée par Amanda Alarie, et papa Plouffe par Paul Guèvremont. Napoléon, le plus vieux de la famille, est joué par Émile Genest. Ovide, l'intellectuel, est campé par Jean-Louis Roux, tandis que Cécile Plouffe, l'éternelle vieille fille de la famille, prend vie en la personne de Denise Pelletier. Le petit dernier et très sportif Guillaume est joué par Pierre Valcourt qui, par son jeu de scène, sa jeunesse et sa beauté, devient rapidement la coqueluche des téléspectatrices. Il reçoit chaque semaine des sacs de lettres contenant chacun environ mille plis. Les frères de papa Plouffe sont joués par Doris Lussier, lequel a créé son propre personnage du Père Gédéon et l'a vendu à Roger Lemelin pour *La Famille Plouffe*. Jean Coutu incarne Ti-Mé, et Le Père Blanc est interprété par Guy Provost. Janine Mignolet est Rita Toulouse, l'amoureuse d'Ovide,

Roland Bédard est Onésime, le prétendant de Cécile, et Jean Duceppe Stan Labrie, l'ami compliqué des Plouffe.

Cette émission est jouée en anglais et en français, ce qui constituerait pour Paul Berval un atout majeur à son curriculum vitae. Lorsque son ami Roger Lemelin lui propose un personnage excentrique qu'il a écrit spécialement pour lui, Paul est touché et enchanté du geste de son camarade. Le premier jour arrive enfin. Paul doit jouer le rôle d'un ami d'Ovide Plouffe qui a pour lui beaucoup d'amitié. « Au beau milieu de l'émission, raconte Paul, j'étais placé tout près de mon ami Ovide, et je lui révèlais mon entière admiration. Guidé par le réalisateur je devais, tout en parlant, poser une main tendre sur le genou de Jean-Louis, geste commandé que j'exécutai tout de même avec la sincérité d'un acteur consciencieux. Geste fatal ! À partir de ce mouvement, les téléphonistes reçurent une avalanche de protestations. Roger me dit la semaine suivante : "Tu sais, je suis navré Paul, mais le public a soupçonné que ton personnage avait peut-être pour Ovide plus qu'une franche amitié. Alors Radio-Canada m'a sommé de ne pas continuer l'évolution de ce personnage car il y a eu trop d'appels de protestation. » Plusieurs années plus tard, Paul sera récompensé de ce sacrifice quand Lemelin lui confiera un rôle important dans *L'histoire des Plouffe*, porté au grand écran. Mais on en reparlera plus tard...

On sait que les jeux questionnaires ont toujours eu la faveur du public. Un jeux instructif assaisonné d'humour, intitulé *Le nez de Cléopâtre* s'inscrit à l'horaire de CBFT. C'est une adaptation d'un quizz américain, et l'animateur en est Roger Duhamel. Le caricaturiste Robert Lapalme fait aussi partie de l'émission, ainsi que Jacques Normand et Paul Berval. Jean Rafa, un ami intime de Paul Berval, lit dans le journal *Allô Police* du 28 mars 1953 : « Paul Berval, dans un studio, fait constamment la joie de ses camarades de travail. Il n'a de cesse de faire des grimaces ou des blagues, qui font s'esclaffer de rire les machinistes. C'est un animateur de première force et un excellent comédien. »

Cet article lui donne à penser que Paul serait un bon partenaire pour son idée d'émission estivale qu'il a vendue à Radio-Canada. Il propose donc au réalisateur Michael Pym le nom de son copain. Mike Pym, pour les intimes, qui parle peu le français, a quelques difficultés lors de cette première entrevue avec Berval à se faire comprendre. Celui-ci, en réponse au mauvais français du réalisateur, lui répond en baragouinant tantôt en anglais, tantôt en bafouillant dans son propre français. Mike Pym comprenant rapidement l'esprit de rigolade de son interlocuteur, au lieu de paniquer, s'amuse follement de la situation, et l'engage immédiatement. Les deux compères sortent du bureau en riant à gorge déployée. « Si les téléspectateurs rient autant que moi avec ce fou, s'exclame alors Pym en anglais, l'émission est assurée d'un grand succès ! »

« L'idée de l'émission *Sourires de France*, explique Jean Rafa, était de faire connaître et aimer la France avec le sourire. Il s'agissait de l'histoire d'un coureur du Tour de France (à bicyclette) qui arrivait toujours en retard, et finissait au bout d'une vingtaine d'étapes par arriver premier au tour… de l'année suivante ! Outre Berval, Guy Hoffmann et Jean-Claude Deret faisaient partie de la distribution. Berval était mon soigneur. Toujours avec moi, il me faisait des massages, me soignait et me dorlotait, tout ça dans un texte tordant que l'on suivait plus ou moins. Paul était encore plus comique quand il improvisait, et nous retombions toujours sur nos pieds. Arthur, mon personnage, s'était inscrit comme coureur au célèbre Tour de France, mais il était si loin derrière le peloton, et vivait tant d'aventures dans chaque village, qu'il n'avait aucune chance de gagner. En fait, il était en retard d'un an, mais les villageois croyaient qu'il était à la tête de la nouvelle course. À chaque village se passait une aventure abracadabrante : en Bretagne, on arrêtait Arthur et son soigneur afin qu'ils soient garçons d'honneur dans une noce, et bien d'autres situations hilarantes du même type. Myke Pym et son assistante Thérèse Larouche réalisaient cette série, qui était en ondes le mardi soir à vingt-deux heures trente. Walter Eiger, ex-pianiste de Charles Trenet, assurait la partie musicale de l'émission. Il entraînait ses musiciens avec fougue, tandis que Berval ne cessait de blaguer et de grimacer. »

« C'est aussi dans cette émission, rapporte Paul Berval, que l'on interprétait différentes chansons. Nous passions en Normandie, en Vendée, dans le pays Basque, et à chaque arrêt, nous chantions une chanson qui se rapportait au pays. Rafa et moi étions de bons copains autant au travail que dans notre vie journalière et, ne soyons pas cachottiers, on aimait boire un coup. On prenait un verre de Ricard. Une fois l'émission diffusée, nous allions soit au Café des artistes, soit au Quatre-cent, et là, avant de bouffer, on s'enfilait quatre ou cinq verres de Ricard. Puis, entourés de copains, on blablatait jusqu'à deux heures du matin. Il nous est même souvent arrivé d'être encore en train de nous raconter des blagues autour de six heures du matin, alors que le soleil se levait. Mais je garde de *Sourires de France* le souvenir d' une bonne émission et d'une série impeccable adorée du public. »

Mia Riddez écrit bientôt pour Paul Berval un rôle en or dans sa populaire télésérie *Rue des Pignons*. Le comédien y endossera le personnage du Père Bellemarre, un bonhomme vraiment sympathique, et un rôle dramatique très intéressant. Les téléspectateurs ne sont pas habitués à voir Berval en train de jouer un personnage sérieux. Pourtant, ses débuts dans des pièces classiques dramatiques avaient été très remarqués par le grand public, et surtout par les critiques journalistiques de cette époque, qui avaient toujours été des plus élogieuses à son égard. Cette réaction de surprise vis-à-vis d'un Berval sérieux donne à réfléchir au comédien : « Vous savez, les gens s'imaginent que je ne peux faire que du comique, déclarera-t-il lors d'une entrevue. À tel point que depuis que je personnifie le père Bellemarre, bonhomme tendre et sérieux, je reçois de nombreuses lettres d'auditrices qui se disent fort étonnées de me voir jouer un tel personnage. Je sais que je me suis peut-être identifié depuis quelque temps au côté comique sans le vouloir, mais j'aime aussi jouer des rôles dramatiques. Merci Mia Riddez de vous en être souvenu. J'adore être le bonhomme Bellemarre. »

Le 29 décembre 1958, la grève des réalisateurs s'installe à Radio-Canada et ne se terminera que le 7 mars 1959. Tous les comédiens et comédiennes de l'Union des artistes, alors dirigée par Jean Duceppe, ne franchissent pas les lignes de piquetage. La raison du conflit : les réalisateurs n'ont pas d'avantages sociaux, puisque la direction de Radio-Canada les considère comme des patrons. Bien sûr, ils sont maîtres après Dieu de leurs émissions, qu'ils réalisent individuellement, mais ils sont loin du salaire des grands directeurs. De plus, pour eux, pas de sécurité de travail, ni de caisse de retraite. Leurs demandes sont justes et équitables. Les artistes, sympathisants à cette cause, décident alors de présenter sur scène un spectacle de variétés pour venir en aide aux grévistes.

Ce spectacle-bénéfice s'intitule *Difficultés temporaires,* et prend l'affiche à la Comédie Canadienne, propriété de Gratien Gélinas. De nombreux artistes figurent au générique. Il sera présenté seize fois à Montréal, et à quelques reprises dans la ville de Québec. Normand Hudon suggère à la direction du spectacle les noms de Paul Desmarteaux et de son partenaire Olivier Guimond. Jean Duceppe trouve l'idée excellente et ouvre par le fait même une porte grande ouverte à Ti-Zoune Jr pour la télévision, laquelle l'avait ignoré jusque-là. Le duo remarquable se joint aux têtes d'affiches que sont Denis Drouin, Gilles Pellerin, Gratien Gélinas, Doris Lussier, Jacques Lorrain, et bien entendu Paul Berval. Olivier Guimond et Paul Desmarteaux sont en même temps les vedettes d'un spectacle au Café de l'Est. Paul Berval travaille pour sa part avec Guilda au Café Saint-Jacques dans une revue-parodie sur la vie de la reine Marie-Antoinette. Ces trois grands artistes du rire auraient dû passer vers la fin du spectacle comme toute grande vedette respectable. Mais à cause de leurs engagements respectifs, ils font forcément partie de la première heure de *Difficultés temporaires*. Le public les trouve si bons qu'ils sont d'ailleurs ovationnés debout tous les soirs. Autrement dit, la salle leur fait régulièrement, comme on dit dans le jargon du métier, un chaleureux *Standing ovation*.

Au Café Saint-Jacques, le spectacle Guilda-Berval fait salle comble tous les soirs. « Parenthèse amusante, souligne Paul Berval, le régisseur de notre revue *Marie-Antoinette*, n'était nul autre que Pierre Day, l'auteur de mon autobiographie, qui était alors employé par la société d'État et, par conséquent, lui aussi en grève. Le fait d'avoir respecté les lignes de piquetage et de travailler au spectacle *Difficultés temporaires*, m'avait permis de rencontrer et, surtout, de sympathiser avec plusieurs réalisateurs de la télévision d'état. Aussi, par la suite, je fis partie de nombreuses et intéressantes émissions télévisées. Je pense à *Porte Ouverte* un peu le même style que l'était *Café des artistes*,

Music-Hall, *Prends la route*, *Les insolences d'une caméra*, *Minute papillon*, *Ni oui ni non*, *Moi et l'autre*.

De même, il y eut *De la cave au grenier*, *La côte de sable*, où j'évoluais dans un rôle dramatique, ainsi que *Kanawio*, *Les quat'fers en l'air*, *Le grenier aux images*, *Le pirate Maboule* dans le cadre de *La boîte à Surprise*. Quel plaisir de côtoyer les deux frères Jacques et Yves Létourneau, ainsi que Pierre Thériault, alias monsieur Surprise, et son aimable pianiste que tous nommaient Oncle Herbert, un talentueux musicien et auteur de jolies chansonnettes. Je travaillais aussi dans une émission qui me plaisait beaucoup puisque c'était la suite logique d'une revue intitulée *Pique à Tout*, que j'avais mise sur pied au Café Saint-Jacques de François Pilon, situé sur la rue Ste-Catherine au coin de St-Denis. »

C'est en 1960 que Paul s'entoure de ses fidèles compagnons de travail Denis Drouin et Gilles Pellerin, auxquels il rajoute Olivier Guimond, pour former le noyau principal de cette nouvelle revue comique. Madeleine Touchette, Christianne Breton, Lise Duval et Juliette Huot complètent cette brillante distribution. Les Trois-Castors, La Casa-Loma et Chez Gérard à Québec accueillent moult fois ce divertissant spectacle. La grande vedette de cette revue est sans aucun doute le fameux Ti-Zoune Junior.

Paul avait rencontré Olivier la première fois lors d'une de ses tournées avec Jean Grimaldi en 1948. Celui-ci était venu, cette fois-là, remplacer un comédien malade et s'était, par la suite, retrouvé périodiquement sur son chemin. Ce premier contact professionnel n'avait guère été difficile. C'était un gars sympathique. Jamais Olivier ne se permettait de dire, comme son père l'avait déjà fait : *I am The comic !* Car Paul avait aussi travaillé une fois avec le père comme *second straight men*. Mais lui, le bonhomme, n'était pas facile. Après la tournée beauceronne, nous avons travaillé ensemble au Théâtre Canadien, puis, dans plusieurs autres *shows* à succès. En spectacle, la première qualité de ce comique-né, c'était sa faculté instinctive de provoquer le rire, ce qui ne s'apprend nulle part. Et dans la vie de tous les jours, c'était pareil. Quand il nous racontait des trucs, il avait une façon qui nous faisait pouffer malgré nous. C'était aussi un excellent compagnon de pêche, amusant, patient. Il m'invitait souvent à son camp de Pointe-

Fortune où il n'était pas possible de s'embêter. « Olivier nous a tous appris un peu de son fabuleux métier. Moi, je le regardais jouer pour essayer justement de saisir sa manière, son sens du timing. Quand j'étais sur scène avec lui, il m'arrivait souvent de devenir spectateur. Olivier avait toujours peur de s'imposer, de déranger. C'est pourquoi il ne tirait jamais la couverture. Quand il se trouvait avec Denis Drouin, Gilles Pellerin et moi-même, il savait respecter nos styles individuels. Son succès, venu trop tard à mon avis, ne lui a jamais tourné la tête. Mais il en était heureux à cause de toutes ces années où il fut victime d'un bien désobligeant snobisme fort injuste puisque, même au cabaret, il n'a jamais été vulgaire, ni en gestes, ni en paroles. Olivier a toujours été pour nous un magnifique exemple de travail ! »

Jean-Pierre Desmarais, agent de la tournée d'été de *Pique à Tout*, raconte : « Après avoir vu plusieurs fois la nouvelle revue de Paul Berval, j'ai proposé à ces quatre jeunes hommes de devenir leur gérant pour une tournée d'été. Mes conditions étaient les suivantes : je les programmais dans tous les cinémas en province ayant une capacité de six cent sièges. Ces propriétaires de théâtre me connaissaient bien puisque j'avais avec eux un contrat de location pour tous les films qu'ils affichaient. Les artistes devaient se déplacer par leurs propres moyens. Je m'engageais à leur trouver les hôtels et motels qu'ils devaient également payer. J'étais responsable de l'entière publicité, et nous partagions toutes les recettes des spectacles à raison de soixante pour cent pour les artistes et quarante pour cent pour moi. Deux étés durant, nous avons fait partout salles combles. Nous nous sommes rendus jusqu'à Chapais et Chibougamau, deux petites villes d'exploitation forestière situées entre le Lac Saint-Jean et l'Abitibi. À Saint-Félicien au Lac Saint-Jean il y avait la fête du centenaire de la ville. Là, nous avons connu notre seul gros déficit. Nous avons tout juste couvert les frais. Ce fut notre seul mauvais souvenir. Je vous explique cette soirée lamentable. Pour cette occasion, la ville avait loué et fait monter une tente pouvant contenir de huit cent à mille personnes. Le spectacle *Pique à Tout* commençait à huit heures, et le guichet ouvrait à sept heures. Il y avait déjà à l'entrée une longue lignée de gens qui attendaient que le guichet ouvre, et nous aurions rempli la tente à pleine capacité. Quand les trois cents premiers clients eurent passé à la caisse, un violent orage, d'une intensité inouïe, se déclencha et une centaine de personnes se pressèrent vers la caisse pour se mettre à l'abri de la pluie torrentielle ; environ cinq cents personnes coururent vers leur voitures stationnées tout près pour ne pas se faire mouiller et rentrèrent chez eux. Cet orage s'est prolongé pendant plus d'une heure et la plupart des gens n'ont pu assister au spectacle. *Pique à Tout* fut tout de même présenté avec une heure et demie de retard et, au lieu de mille personnes, il n'y avait environ que quatre cents spectateurs. J'avais loué la tente de la ville de Saint-Félicien pour une soirée seulement, car il y avait d'autres activités prévues par l'hôtel-de-ville sous la tente. Nous sommes partis le lendemain matin pour Chapais et Chibougamau où nous nous sommes heureusement, bien renfloués. »

En 1960, *Pique à Tout* fait enfin carrière à la télévision. Diffusée mensuellement, l'émission obtient immédiatement une côte d'écoute confortable. Il s'agit d'un vaudeville adapté pour la télévision. Des sketches courts, avec un canevas servant de base, font les délices des téléspectateurs avides de se laisser aller à des rires bienfaisants. L'émission devient bien vite la formule par excellence de détente. Cependant, une certaine critique ose taxer ce genre d'émission de dépassée ou de déjà-vu. On reproche aux sketches un manque d'originalité et parfois on les traite de vulgaires. Il est triste de penser qu'un certain public ne considère pas du tout, ou très mal, l'immense somme de travail que donnent honnêtement scripteurs et comédiens. Pourtant, le réalisateur Paul Leduc analyse et dissèque scrupuleusement chaque tableau. Peut-être en fait-il un peu trop? Par exemple, pour faire plaisir à ce public pointilleux, on ne demande plus à Paul Desmarteaux de reprendre ses dialogues si hilarants avec Olivier. Pourtant, ils ont fait d'immenses succès à l'émission *Music-Hall grâce* à cette recette. On recommande aussi à Paul Berval de ne plus employer les formules si gagnantes du Beu-qui-rit. Quant à Gilles Pellerin, ses monologues sur la mère à Roland, qui ont fait sa renommée, et si longtemps les délices du grand public, sont totalement exclus de cette émission que l'on veut si distinguée. « Il faut savoir faire rire sans jamais devenir vulgaire », écrivent ces snobinards, tout de même à l'écoute mais trop bêtes pour comprendre que ces quatre comédiens n'avaient jamais osé jouer dans la vulgarité. Paul Berval rajoute : « Il fallait faire rire sans jamais devenir déplacé. Jamais, durant toute ma carrière, je ne me suis pourtant permis un seul sacre ou mot choquant. »

Marcel Gamache écrit souvent des sketches pour *Pique à Tout*. Un jour, il présente *Les voisins*. Ce petit bijou d'humour obtient tant de succès que Gamache en fera pour plus tard une série intitulée *Cré Basile*, qui mettra en vedette Olivier Guimond, ou Oliver pour les intimes, dans le rôle titre. Cette télésérie sera présentée à la télévision privée de Télé-Métropole, et connaîtra le succès retentissant que l'on sait. Bien entendu, Berval sera de la partie.

Entre-temps, le groupe de *Pique à Tout* en 1963-1964 reprend les ondes de CBFT sous le nom de *Zéro de conduite*. « Ça a été un grand moment de rire franc pour Radio-Canada, précise le réalisateur Roger Fournier. C'était pas payé cher pour ces grands artistes, mais pour notre équipe de télévision, ça a été un grand moment d'une belle réussite commune. Ensuite, il y a eu *De ville en ville* et *Show from Two Cities*. Don Hudson se disait que si on mettait les comiques du Canada anglais et du Canada français ensemble, on serait plus unis. Le nationalisme commençait à monter au Québec. » Un peu plus tard, Paul Berval obtiendra d'ailleurs un franc succès sur les ondes anglophones avec l'émission *Excuse my french*.

Pour l'instant, un grand spectacle spécial prend l'affiche pour un soir sur les ondes de Radio-Canada T.V. Il s'agit de l'opérette *Les trois valses*, mettant en vedette la chanteuse française Mathée Altéry. « Vu mon expérience aux Variétés Lyriques, raconte Paul, Radio-Canada m'offrit un rôle intéressant dans cette opérette où je devais chanter et jouer un rôle amusant. Mathée Altéry offrit aux téléspectateurs une magnifique performance. Nous présentions cette comédie musicale en direct de l'auditorium du collège St-Laurent. Guy Provost tenait le premier rôle masculin. Mais la révélation du spectacle fut celle de mon ami Olivier Guimond. Il campa une demi-douzaine de petits rôles muets tous aussi comiques les uns que les autres. Le plus remarqué fut celui de cette scène de l'escalier, qu'il fait toujours bon de revoir. On y voyait premièrement Olivier, ivre, descendre un large escalier pour ensuite le remonter, en laissant croire qu'il allait culbuter en chemin. Il improvisait dans tout. À la répétition, il n'avait pas fait du tout les mêmes gestes ; il n'avait ni descendu ni remonté de la même manière. Quand ce fut le moment et quand il vit que la caméra était allumée, Olivier donna le maximum, et il eut bien peur de perdre l'équilibre à un certain moment. Mais non, il avait réussi ! Personne ne savait tomber comme Olivier. Si sa descente fit éclater de rire la belle Mathée, la remontée lui fit aussi lancer un cri, parce qu'elle crut qu'Olivier allait manquer la marche et se retrouver sur le derrière. Ce qui, effectivement, a bien failli se produire, petite confidence qu'il me fit dans les coulisses en catimini par après. Toute la troupe tomba en admiration devant cette performance. Quel bonheur j'ai eu à travailler dans cette magnifique opérette. »

Chapitre 10

Travail, famille, maladie et alcool

« J'aimais jouer à la télévision, premièrement parce que la paie y était supérieure, mais travailler sur les planches me plaisait tout particulièrement, surtout lorsque l'on me proposait d'entrer dans la peau d'un personnage sérieux. Juliette Huot m'avait confié le grand plaisir qu'elle avait de faire équipe avec Gratien Gélinas, cet homme de théâtre si rigoureux dans ses mises en scène et dans la direction de ses comédiens. Partant d'une série de *Fridolinades* qui avait fait rire plusieurs années le Québec entier, Gélinas avait cette fois-ci composé une pièce de théâtre beaucoup plus sérieuse qui traitait d'un sujet pathétique, mais qui laissait, dans certaines situations, une grande place pour le rire. Il s'agissait de *Ti-Coq*, un jeune bâtard qui devient follement amoureux de Marie-Ange, une jeune fille issue d'une bonne famille sans histoire. Gratien Gélinas, dans cette pièce, traitait avec perspicacité de sujets bien délicats en ces année de guerre, soit d'un amour intense qui ne pouvait être consommé qu'en mariage, et la quasi-impossibilité du divorce en ces années de noirceur. Ti-Coq était mobilisé en Europe où sévissait la triste guerre de 1939-1945. La mort dans l'âme, il avait quitté sa belle Marie-Ange, lui promettant de l'épouser à son retour. Gélinas nous faisait ensuite partager l'attente douloureuse de cette jeune fille qui espérait voir revenir sous peu son amoureux qui, subitement, ne donnait plus aucun signe de vie. Pourquoi cet injuste silence ? Était-il mort au front ou gravement blessé ? Était-il amoureux d'une autre ? Ne disait-on pas *Loin des yeux loin du cœur* ? Mal conseillée par ses parents, elle épousa, en désespoir de cause, un homme qu'elle n'aimait que tièdement. Au retour de la guerre, Ti-Coq affronta la brutale réalité. Vivrait-il l'amertume d'un si bel amour perdu ? Adultère ou divorce ? Au Canada, si catholique en 1945 ? Voilà en perspective de bien piètres solutions ! »

Paul rêve de jouer sous la direction de ce génie du théâtre canadien. Trop occupé ailleurs, il ne fera malheureusement pas partie de ses premières distributions. Cependant, une semaine où Bernard Hogue, alias Clément Latour, le créateur du personnage de Jean-Paul tombe sérieusement malade, et monsieur Gélinas lui offre de le remplacer.

« Je sais que la guérison de Clément Latour peut être assez lente, me dit-il. Aussi, en plus de Montréal, il se peut que je fasse appel à nouveau à votre talent pour ma tournée aux États-Unis. Le rôle que je vous offre est certainement à l'opposé de votre propre personnage. Je vous sais un comique de grande précision. Je sais aussi que vous avez la réputation de camper tous genres de personnages. Celui de Jean-Paul, le frère de Marie-Ange et le meilleur ami de Ti-Coq, est un homme très lent mais pas niaiseux. Il est pour Ti-Coq un ami d'une grande sincérité. Bref, j'ai confiance. Avec toutes vos connaissances théâtrales, vous pourrez faire vivre avec compréhension ce beau personnage. » La performance de Paul à Montréal l'enchante, si bien que celui-ci fera partie de la tournée américaine promise, mais en étant la doublure de Jean-Paul, ce que les américains appellent *Understudy*. Pour faire ce métier dont Paul ne connait que très peu de choses, il doit bien sûr posséder son personnage à fond, texte et caractère compris. Il doit aussi mémoriser tous les textes des personnages qui donnent la réplique à Clément Latour, et ce autant en français qu'en anglais. Il sait qu'il ne jouera pas tous les jours, mais qu'il devra certainement remplacer Clément Latour à quelques reprises. »

Le personnage de Marie-Ange, pendant cette tournée, est interprété par Huguette Oligny qui nous explique : « Celle qui a créé sur scène Marie-Ange, c'est Olivette Thibault. Le rôle avait été écrit pour Murielle Guilbault, qui était malade au moment de sa création. Alors Gratien l'a offert à Olivette. Mais il a fallu qu'elle s'arrête quelques mois plus tard, parce qu'elle était enceinte au moment où elle l'a accepté. Entre parenthèses, Olivette Thibault était l'épouse de Max Lemenu. Comme je n'avais pas la mémoire des noms, je le nommais fréquemment monsieur Tout-Petit. Olivette me trouvait alors bien marrante. Donc, après Olivette, il y a eu Murielle Guilbault qui a été longtemps cette Marie-Ange amoureuse de Ti-Coq, sur lequel repose toute la dramatique de la pièce. Puis Olivette est redevenue cette héroïne. Plus tard, au grand écran, Gratien confia Marie-Ange à une jeune débutante qui devint rapidement la coqueluche du public canadien : Monique Miller. Cependant, lorsqu'il a été question de jouer en tournée américaine, Denise Pelletier et moi avons été engagées. Avant que Paul Berval vienne en tournée avec nous, j'avais déjà beaucoup d'admiration pour lui. Je savais qu'il adorait jouer des rôles dramatiques, puisque nous avions été partenaires dans *Les lumières de ma ville*, et que nous avions alors longuement péroré de nos performances dramatiques respectives. J'avais eu avec lui le temps de discuter de sa grande formation classique. Puis, peu à peu, j'ai vu l'artiste dramatique bifurquer, comme si de rien n'était, vers le côté comique. Ça, tu l'as ou tu l'as pas. Je crois que tu peux apprendre à jouer des rôles comiques, mais apprendre à être comique ne se peut pas, puisque c'est un don de Dieu acquis dès la naissance. Et Paul possédait cette grande qualité. Dans une comédie, Paul entrait en scène, sans dire un mot, et déjà, tout le monde se marrait. Ce n'est pas donné à tout le monde, ça ! Ne passons-nous pas tous des moments difficiles dans la vie, et n'est-il pas bon de rire pour oublier des choses tragiques ? Autrement, on se laisserait abattre, qu'en pensez-vous ? Eh bien, quand des gens me parlent de Paul Berval, poursuit Huguette Oligny, ils sont reconnaissants de ce qu'il a fait parce qu'ils ont ri, et se sont amusés. Ça leur a fait oublier toutes leurs emmerdes. Paul avait aussi le talent de peaufiner minutieusement le personnage qu'il avait à représenter. Même s'il n'a pas eu l'occasion de jouer régulièrement pendant cette tournée, quand il était sur scène, il était extraordinaire de vérité et de sincérité. Paul Berval le comique s'effaçait et devenait tout naturellement un Jean-Paul, un homme lent, hésitant, amical et, surtout, le public croyait facilement à cette grande camaraderie entre les deux gars. Comme le rôle s'y prêtait, Paul était émouvant. Qualité qui n'est pas donnée à tous les artistes. Je rajoute que le métier de doublure qu'il pratiquait durant cette tournée américaine, était moralement très difficile. »

« Forcé d'assister à toutes les représentations, assis au milieu du public, explique Paul, je jouissais sans m'en rendre trop compte d'un grand bouillon de culture qui ne me laissait pas indifférent. Dans ce métier, il y a toujours du nouveau à apprendre. N'oublions pas que la doublure, pour être prête a interpréter le rôle qui lui est assigné, doit s'imprégner de l'atmosphère du drame qui se déroule devant elle et doit pratiquement connaître toute la pièce sur le bout de ses doigts. C'est un travail parfois ingrat car tu n'es même pas assuré que tu vas le camper ton personnage ! Ma première consolation était de regarder jouer un Fred Barry tous les jours. Je vous assure que ça vallait bien n'importe quel cours d'art dramatique. Lorsque la pièce se jouait en anglais, je devais me concentrer davantage afin d'assimiler toutes les nuances linguistiques de ce drame. La première fois que j'ai enfin travaillé sur scène, nous étions à Toronto. L'après-midi, heureusement, nous jouions en français. Mais le soir, c'était en anglais, ce qui représentait, pour moi, un véritable tour de force. Fred Barry vint me voir après la représentation et me dit : "Mon p'tit garçon, t'as très bien fait ça." Je fus ému comme un enfant de ce compliment. Ma scène préférée de la pièce était celle où papa Fred Barry donne des conseils à sa fille Marie-Ange. Lorsque j'avais la chance de la regarder de la coulisse, je pouvais voir passer dans le regard d'Huguette Oligny toute l'émotion qu'elle ressentait lorsque son père lui parlait les yeux dans les yeux. Il faut dire que les yeux d'Huguette Oligny, tout comme ceux de l'actrice française Michèle Morgan, étaient considérés comme les plus beaux du monde.

Fred Barry aurait pu faire une carrière parisienne et même internationale. Quel régal de regarder travailler cet acteur de 80 ans. C'était aussi pour moi, jeune comédien, une grande leçon de travail de voir comment il se donnait entièrement à son personnage. Fred Barry était une bête de théâtre. À mes yeux, il était, à l'égal de Raimu, l'un des plus grands acteurs de France. Quel plaisir de côtoyer cet homme fait de vérité et de simplicité ! Un soir, j'ai remarqué qu'il transpirait. Surpris, je lui avais demandé après la représentation : "Monsieur Barry, vous avez le trac ?" Il m'avait répondu : "Oui mon jeune. Puis, il faut que tu l'aies jusqu'à la fin de tes jours, parce que le trac, c'est ta lumière qui s'allume, et qui te fait dire que t'es pas aussi bon que tu voudrais l'être. Donc travaille. Mais il faut aussi que tu maîtrises ton trac. Quand tu te penses trop sûr de toi-même, tu fais patate et tu fais des bêtises." J'ai compris en jouant auprès de monsieur Barry qu'un acteur, dès qu'il est sur scène devant un public, que ce soit dans une revue, une opérette, ou dans un club de nuit, ne peut se permettre de petites fantaisies à moins d'être un vulgaire cabotin. Si Gratien Gélinas et Fred Barry s'entendaient si bien, c'est qu'ils respectaient rigoureusement ce principe.

En principe, je me suis soumis assez rapidement à ce style de travail, car je n'avais pas l'intention de me faire passer un savon par Gratien, surtout pas devant Fred Barry. Et pourtant, combien de fois me suis-je laissé glisser dans les sinueux méandres de l'indiscipline du rire facile et de la boisson avec Jacques ! Une anecdote me revient à ce sujet. Jacques cherchait un soir une marque précise d'alcool. Nous avons cherché et cherché, mais rien n'y faisait, la marque demeurait introuvable... Deux heures du matin, de retour à notre chic Hôtel Palmer, en jasant avec le jeune commis du comptoir de nuit, je l'ai enfin trouvée. À deux, nous avons vidé la bouteille, et nous sommes couchés vers quatre heures. Nous devions jouer en matinée, et en anglais par dessus le marché ! Comble de malheur, on a oublié de nous réveiller. Là, on a reçu un téléphone d'un Gratien Gélinas furieux. On est arrivés à toute vitesse, alors que Gratien faisait les cent pas en costume de scène devant l'entrée du théâtre. Inutile de vous dire que l'on s'est fait passer tout un savon. De plus, quand Jacques avait un coup dans le nez, il parlait lentement, et ce jour là encore plus que d'habitude, si bien que la pièce a duré pour cette représentation un quart d'heure de plus. Je vous jure que nous avons goûté doublement aux foudres volcaniques de notre bouillant directeur. »

« Après Chicago, la troupe se produit à New York sans aucune publicité préalable. Il faut dire que ce n'est pas dans la politique du *Big Apple* de faire de la publicité pour une pièce étrangère en tournée et qui, de plus, ne se produit pas sur Broadway. Le bouche à oreille sur notre route conduisant à New York est censé, pour eux, suffire amplement. « Si on ne se pliait pas à ces façons, c'était tant pis pour nous. Nos salles étaient loin d'être pleines ! Pourtant, à Chicago, ça marchait, et j'en savais quelque chose puisque j'étais le plus souvent assis au beau milieu du public, et pouvais à loisir entendre toutes les réactions américaines qui, en général, étaient très bonnes. Il y avait juste une chose qu'ils ne comprenaient pas : Pourquoi Marie-Ange, toujours éprise de Ti-Coq à son retour de guerre, refusait-elle de divorcer ? Les Américains n'ont jamais compris que la religion catholique au Canada amenait le peuple à ne pas admettre le divorce. Pourtant, les gens réagissaient bien à toutes les autres scènes. Heureusement, les temps ont bien changé ! Si Gratien reprenait Ti-Coq, aujourd'hui, ça finirait certainement autrement. Que voulez-vous ! *Autres temps, autres mœurs* ! »

Après le succès mitigé de New york, les comédiens rentrent à Montréal et décident de faire une grande tournée à travers tout le Canada. Cette fois-ci, Paul abandonne son travail de doublure pour jouer en deux langues le personnage de Jean-Paul. Son travail, fait plus sérieusement, est fort apprécié de la part de Gratien Gélinas et surtout du public.

En 1959, un soir que Paul dîne et prend un verre avec des copains, il est troublé en voyant qu'une jolie jeune dame, assise à deux tables de la sienne, répond discrètement à ses regards insistants en lui faisant à l'occasion, elle aussi, les yeux doux. Elle est accompagnée d'un monsieur qui est heureusement assis de dos. Tout au long du repas, discrètement, les deux jeunes gens flirtent. Elle est si jolie que Paul ne peut faire autrement que de la regarder ! Profitant de l'absence momentanée de ce gentleman, mine de rien, il s'approche de la table de la demoiselle, et jase avec cette aguichante brunette. Sans difficulté, ils échangent leurs numéros de téléphone. Elle se nomme Simone Marcil, et est garde-malade à l'hôpital Notre-Dame. À partir de ce moment, ils se rencontrent régulièrement. Le coup de foudre réciproque bien établi, ils se fréquentent sérieusement trois mois, pour finalement se marier à la cathédrale Marie-Reine-du-Monde. « Le curé m'avait proposé la chapelle. J'ai dit non. Je savais qu'il y aurait sûrement plein de journalistes, et j'étais certain que de nombreux artistes se joindraient à nos deux familles. Je voulais que la cérémonie nuptiale se déroule dans la cathédrale. Ainsi fut fait. Tous mes amis de l'Union des artistes étaient présents, et Denis Drouin fut mon témoin. Un an plus tard, mon fils Stéphane vint au monde. »

En 1961, à Québec, Berval, en compagnie de ses compères Olivier Guimond, Denis Drouin et Gilles Pellerin, obtiennent comme d'habitude partout où ils se produisent un succès monstre avec leur revue *Pique Atout*. En même temps, au palais Montcalm, *Bousille et les justes* de Gratien Gélinas obtient également un succès phénoménal. La troupe, qui ne devait au début se produire qu'un seul soir, doit rajouter trois représentations supplémentaires. La veille de leur départ pour Ottawa et Sherbrooke, où ils doivent donner une série de représentations, les comédiens vont fêter leur succès et leur départ Chez Gérard.

Ils y rencontrent les membres de *Pique Atout*. Bien entendu, en si bonne compagnie, ils feront veiller ce pauvre Gérard Thibault jusqu'à six heures du matin. Gratien Gélinas en profite pour engager Berval dans la traduction de sa pièce écrite par les mêmes auteurs que ceux qui avaient traduit *Ti-Coq*, soient Kenneth Johnstone et Joffre Dechêne : « Tu tiendras le rôle que Duceppe ne peut accepter vu les engagements pris au préalable », lui dira alors Gratien.

Bousille and the Just prend finalement l'affiche à la Comédie Canadienne du 23 février au 11 mars 1961 devant des salles presque vides. Il faut dire que le soir de la première, une pluie verglaçante, qui se change en une tempête de neige, désorganise Montréal. Cependant, tous les comédiens de *Bousille* sont présents au rendez-vous, ainsi que les journalistes qui donnent heureusement une bonne critique, et disent que Paul se débrouille bien en anglais. Son expérience dans *Ti-Coq* l'a bien servi. Devant cet échec, l'équipe est triste et découragée. Mais la troupe est invitée à se produire au Festival international de Vancouver pour quatorze représentations. Pour l'occasion, Ginette Letondal remplace Monique Miller. La troupe se produit dans un petit théâtre. Si l'assistance est faible le premier soir, le lendemain la salle est pleine à craquer, et offre au tomber du rideau l'ovation la plus longue qu'ait donnée un public en ces lieux. Nous jouons presque toujours à pleine capacité, et même un soir à guichet fermé. Les gens du grand théâtre du Festival, où l'on produit des opérettes et des pièces à grands déploiements, les regardent de haut. Le succès est pourtant tel que l'on rajoute une deuxième semaine de représentations. Paul habite alors au douzième étage d'un chic édifice dans un très spacieux appartement. Juliette Huot, avec laquelle il rit beaucoup, est sa voisine.

La pièce marche si bien que Gratien l'emmène en tournée. Celle-ci débute dans les Maritimes, à Charlottetown, où elle affiche complet. À Moncton, mille cinq cents Acadiens remplissent la salle. À Fredericton, *Bousille* se joue dans un théâtre nouvellement construit et situé au centre d'un magnifique complexe sportif des plus modernes. Le théâtre est rempli à pleine capacité, et l'équipe sent, grâce aux nombreux rappels, que le public l'a adorée.

« De retour dans la province de Québec, nous avons joué à Rimouski le 15 novembre, et pour le temps des fêtes à Saint-Tite. D'un endroit à l'autre, nous voyagions par train, l'autobus ou l'avion. En janvier, Toronto nous reçut. La pièce passa le cap des deux cents représentations. Nous jouions un seul soir en français. Je fus donc obligé d'apprendre au plus vite mon texte, car je ne l'avais pas encore joué dans ma langue maternelle. Nous avons attiré mille trois cent cinquante spectateurs. Par contre, à London, nous avons travaillé devant une maigre assistance. Enfin, la tournée traversa le Manitoba et, en Alberta, nous avons joué à Calgary devant une foule considérable. Notre grande aventure se termina le 9 septembre 1962 lors de la *World's fair* de Seattle, aux États-Unis. Le 26 février 1962, *Bousille and the Just* fut présenté d'un océan à l'autre sur le réseau anglais de CBC. Le 18 avril, notre troupe se retrouva sur scène pour l'enregistrement de la pièce en français pour Radio-Canada. La réalisation était signée Paul Blouin, aujourd'hui décédé. Cinq caméras évoluaient sur le plateau, exactement comme dans un studio de télévision. La diffusion a lieu le 29 avril 1962. Après cette épuisante tournée, je me suis reposé auprès de mon épouse et mon fils Stéphane. Yves vit le jour en 1966. Entre-temps, nous nous sommes achetés une maison à l'île Goyer sur les bords du Richelieu. »

Paul pourvoit bien au bien-être de sa famille car le travail ne manque pas. Même s'il n'est pas à la maison à des heures régulières, il peut quand même consacrer plusieurs heures de loisir à sa petite famille. Cependant, son travail le fatigue un peu plus, car il commence à avoir de sérieuses douleurs aux hanches. Sans doute un mal à retardement dû à cette chute malencontreuse faite il y a quelques années dans les décors des Variétés Lyriques. Bientôt, d'atroces souffrances aux hanches l'obligent à subir une première opération à la hanche gauche. Heureusement, Simone, infirmière dans l'âme et amoureuse de son Paulo, sait lui donner les soins voulus. Les médecins lui prédisent qu'il y a de fortes raisons de croire qu'il y ait plus tard récidive à l'autre hanche. Paul retourne quand même au travail rapidement. Cinq ans d'un travail acharné ravivent d'autres douleurs qu'il essaie de cacher en bon comédien qu'il est. L'alcool, selon lui, l'aide à atténuer son mal, sinon à l'oublier. Il avoue : « Je souffrais tellement que lorsque j'étais devant mon public, je prenais des poses bizarres et clownesques afin que les spectateurs ne sachent pas que je souffrais à en pleurer. J'avais aussi beaucoup de difficultés à marcher. Je tentais alors de camoufler ma douleur en faisant le pitre. Mes maux s'intensifièrent tellement que je dus me résoudre à me déplacer avec une canne. Je n'avais plus le choix. J'en étais rendu à ne plus pouvoir marcher. Je faisais des génuflexions régulièrement pour me garder debout. »

Roger Sylvain, dans un article du journal *HebdoVedettes* rapporte ici les propos de Paul : « Les médecins m'avaient dit qu'ils avaient prévu de m'opérer deux ans après la première intervention. J'ai tout de même réussi à faire cinq ans. Comme je travaillais beaucoup, je parvenais à ne plus me souvenir que j'avais si mal. Mais là, je ne peux plus oublier, car elle ne m'oublie pas. J'ai atrocement souffert ces derniers temps, mais je ne le disais pas. D'abord ça ne change rien, et ça embête les autres pour rien. Il m'arrivait de ne pas dormir des nuits entières à cause de la douleur. Il me faut donc passer par le bistouri à nouveau. On va me poser deux morceaux à la hanche et dans quelques jours, je serai debout sur deux hanches presque neuves. » Roger Sylvain poursuit : « Le comédien bénéficie des soins du docteur Pierre-Paul Hébert de l'hôpital Sacré-Cœur de Cartierville. C'est le spécialiste par excellence. Ces derniers temps, j'ai croisé Paul sans me douter qu'il avait mal. Rien ne paraissait dans son comportement. Tout un comédien. Arriver à cacher son mal en jouant au bien portant. Sacré Berval ! Après l'opération, il devra passer plusieurs semaines en physiothérapie pour ensuite reprendre ses activités. Son épouse Simone veille sur lui et l'encourage lorsqu'il a des *down.* » Quelques années plus tard, deux hanches artificielles seront greffées à Paul.

En 1965, Lionel Daunais, qui avait été le co-fondateur avec feu Charles Goulet des Variétés Lyriques au Monument National, revient à l'opérette en se joignant à la direction artistique des spectacles du Théâtre Lyrique produits par CJMS dont le président est Raymond Crépault. Les spectacles sont présentés à La Place des Arts. Paul Berval fait partie de la distribution de *La veuve joyeuse* de Franz Léhar, et en 1966 de *La Margoton du Bataillon*, opérette-bouffe qui appartient au genre comique le plus goûté, remarquable de vivacité et de variété. L'histoire en est la suivante : des autorités militaires de France ont décidé de se servir d'une caserne désaffectée d'un petit village pour entraîner quelques jeunes recrues à la vie militaire, excellente formatrice de jeunes hommes qui deviennent ainsi disciplinés, ordonnés, conditionnés, façonnés, mais souvent tannés et se sentant trop souvent cernés. Juste en face de la caserne, il y a la pension Verdurette où l'on enseigne à des demoiselles de bonne famille le point d'Alençon, le point d'ourlet, le parchésie, et le ballon volant, pour les préparer adéquatement à faire face à la vie. Une rue, qui se traverse bien, sépare la caserne du pensionnat. Pourquoi en dire plus ? Paul retrouve dans le rôle de Margot Olivette Thibault, sa copine de longue date. Gisèle Mauricet, Yvonne Laflamme, Germaine Giroux, Suzanne Valéry, Claire Maltais, Louis De santis, Aimé Major, Olivier Guimond, Denis Drouin, Yoland Guérard, Yvan Ducharme et Claude Charette forment cette brillante distribution. Paul Berval reprend son personnage de Désiré Chupin, ce rôle joué tant de fois au Monument National. Il va sans dire que ces spectacles obtiennent un vif succès.

« En 1968, raconte Paul, je suis parti pour Chypre le 8 décembre. Nous allions divertir les troupes canadiennes cantonnées là-bas. Nous allions filmer *Zoom*, une émission de télévision fort populaire, sous la direction de Nicolas Doclin. Elle serait retransmise ici plus tard. Je suis allé passer les fêtes en famille, pour ensuite me replonger une fois de plus dans l'opérette, mais à Québec. J'étais de la distribution de *Monsieur Beaucaire*, que mettait en scène Jacques Létourneau. Mais alors ma principale occupation, c'était mon épouse et mes deux garçons. Tous mes rares moments de liberté, je voulais les vivre près d'eux. C'est d'ailleurs là que j'étais le plus heureux. »

Une fois de plus, la fondation CJMS met à l'affiche de La Place des Arts un autre spectacle à succès, *Les Mousquetaires au couvent*. Paul est pressenti pour jouer l'un des trois Mousquetaires. Juliette Huot se souvient : « Lionel Daunais faisait la mise en scène de cette opérette légère intitulée *Les Mousquetaires au couvent*. Athos était joué par Yoland Guérard, qui possèdait aussi des dons de comédien et d'animateur lui permettant de se fixer au faîte de la gloire, aussi bien ici qu'à l'étranger. Aramis était interprété par Pierre Dufresne, le fils de Georges Dufresne.

Il était aussi le frère d'Yvan Dufresne, un célèbre imprésario. Eh oui ! Celui qui a lancé dans le métier le beau Michel Louvain. Porthos était personnifié par Paul Berval, natif de Longueuil. Après avoir sérieusement étudié ses grands classiques avec madame Jeanne Maubourg, et messieurs Marcel Chabrier et Henri Poitras au conservatoire Lasalle, Paul passait facilement de la tragédie au théâtre le plus léger. Dailleurs, le côté cabotin de sa personnalité s'était révélé très jeune. Joueur de tours comme pas un, ce naturel bouffon avait bien vite découvert son potentiel comique. Yolande Dulude et Olivette Thibault personnifiaient les religieuses du couvent dont j'étais la mère supérieure. Vêtue de longues et nombreuses jupes, et portant une cornette qui me donnait chaud, je devais, dans une certaine partie de la pièce, courir allégrement en aller et retour, partant côté cour pour me retrouver assez rapidement côté jardin. Cette scène se passait entre les trois mousquetaires et la supérieure. Berval, Dufresne et Guérard, en bons mousquetaires qu'ils étaient, trinquaient en prenant un verre. Soudain, ils se mettaient en tête de me faire la cour. En bonne et chaste nonne que j'étais, je me sauvais à toutes jambes, poursuivie par mes trois admirateurs. Une course effrénée s'ensuivait. Je devais sortir en coulisse à plusieurs reprises, et revenir en coup de vent sur scène. Cette course hilarante faisait crouler de rire les spectateurs. De retour au milieu de la scène, je devais m'affaler sur une chaise placée là à cet effet. Tout en courant, intuition féminine oblige, je décelais bien une certaine complicité entre Paul Berval et Yvonne Laflamme, mais, sans savoir de quoi il en retournait. Je l'apprendrait bien assez vite, me disais-je, en courant hors d'haleine. Yvonne, complice de Paul, déplaça alors la chaise en question, de sorte que lorsque je dus me laisser choir sur ce fauteuil, je m'étalai par terre, les quatre fers en l'air. Heureusement que mes dessous bien bourrés m'empêchèrent de me faire mal. La foule des spectateurs était en délire. *Dam* ! C'est pas tous les jours que l'on voit une bonne sœur sur le derrière ! Lionel Daunais, en bon directeur qui possédait un humour pince sans rire, était aux oiseaux et me proposa candidement de replacer cette nouvelle mise en scène tous les soirs à venir. “Non ! Merci bien, lui dis-je. Je n'ai pas envie de vous faire ce plaisir à vous et vos brillants complices Berval et Laflamme.” Bien sûr, je pardonnai à ces deux misérables. Mais chaque fois que j'ai par la suite joué aux cotés de Berval, je me suis méfiée de lui, je vous en passe un papier ! »

Paul Berval, depuis le début de sa carrière, nous a montré qu'il était un artiste d'une très grande versatilité. Même en anglais, il se débrouille bien. En guise de preuve, on peut citer sa tournée de *Ti-Coq* au Canada anglais et aux États-Unis. Cette fois-ci, il est sollicité par le réseau CTV Canal 12, un réseau anglophone, pour une émission bilingue intitulée *Excuse my french*. Cette comédie est également présentée sur les canaux 8 et 13. La voici donc engagé dans une comédie qui, dès son entrée en ondes en septembre 1974, fait déjà grandement parler d'elle. On dit qu'elle a toutes les chances d'aller se chercher la première position des cotes d'écoute canadiennes. *Excuse my french* est une comédie fine et subtile où la saveur du texte l'emporte sur le geste burlesque et la mimique bouffonne. Paul y sera tout simplement superbe ! Hugh MacLennan, l'auteur de cette série comique à franc succès, vise à diminuer par le rire le fossé culturel séparant le Canada anglais du Canada français. Il surnomme ces deux langues « les deux solitudes de son pays ». Le réseau CTV, qui diffuse ses émissions d'un océan à l'autre, fait voir au Canada entier, par les yeux de son scénariste Paul Wayne, comment peuvent vivre ensemble et maritalement une Québécoise et un Canadien anglophone. La jeune fille est issue d'une famille modeste. Lui, un étudiant en droit dominé par son paternel, magnat de *La presse* et homme des plus autoritaires. Bien que Paul Wayne ait vécu à Ottawa, Toronto et Los Angeles, il sait parfaitement de quoi il parle parce qu'il a déjà été marié à une Québécoise de langue française.

Outre Hugh MacLennan, d'autres auteurs, parfois du Québec, écrivent un épisode, comme ce fut le cas de Janette Bertrand. La série débute lorsqu'un étudiant de langue anglaise, Peter Hutchins, qui fait son droit à McGill, s'éprend d'une jolie jeune Canadienne du Québec. Leur roman d'amour les mène au pied de l'autel où ils se marient en bonne et due forme, malgré la réticence des parents anglophones. Peter Hutchins est bien campé par Stuart Gillard. Marie-Louise depuis son mariage avec Peter, doit travailler comme serveuse afin de payer les études de son époux, car le beau-père Philip Hutchins, en charge de la publication du journal *La Presse*, est un homme fortuné et têtu. Il se brouille avec son fils parce qu'il a épousé une Canadienne de langue française, et n'apporte plus au jeune ménage l'aide financière qui aurait pu leur être d'une grande utilité. Mais au fond de son âme, cette situation, vous le devinez bien, le met en rogne. Cet *english papa* est interprété par Earl Pennington. Lise Charbonneau, du Québec, personnifie Marie-Louise. Cette jeune comédienne, étudiante du conservatoire, a joué avec la troupe du *Pissenlits*, s'est fait voir au *Rideau Vert*, au *Patriote*, et a tenu un petit rôle dans le film *The Apprenticeship of Duddy Kravitz*. Le rôle de son père est tenu par Paul Berval. Mais lui, on ne le présente plus. Disons seulement que la plus magistrale interprétation de cette série de sketches rigolos est certainement la sienne puisqu'il s'est vraiment intégré à son personnage de Gaston Sauvé. La mère Thérèse Sauvé est jouée par Pierrette Beaudoin, une excellente actrice. Elle donne à son personnage une couleur vive sans être extravagante. Comme dirait Olivier Guimond : « Elle, elle l'a l'affaire. » À la famille canadienne-française de *Excuse my french* s'ajoutent deux autres personnages. Celui d'une sœur cadette (Isabelle Lajeunesse) et d'un jeune frère (Daniel Gadouas) qui, paraît-il, a des « idées bien patriotiques ». Ce qui ne peut pas être mauvais dans cette émission présentée *from coast to coast* !

Chaque émission de trente minutes est enregistrée dans les studios de CFCF-TV devant un public de deux cents personnes, sans doute pour créer un climat propre à stimuler les comédiens. La série se veut une comédie de situation et de rigolade. Tous les mots et les préjudices entre Canadiens anglais et français sont étalés au grand jour, mais toujours sur une note des plus humoristiques. Le public rit à gorge déployée sans avoir besoin du système de rire en canne. Les gens rigolent parce que le spectacle est comique du début jusqu'à la fin. Présentée avec autant de subtilité, cette téléserie sera aussi populaire à Montréal qu'à Saskatoon.

L'épisode de *Excuse my french* dans lequel Paul a eu le plus de plaisir à jouer est celui qui mettait en vedette Boum Boum Geoffrion. Paul se souvient : « Ce soir là, au canal 12, devant une salle bondée de monde, régnait une atmosphère inhabituelle due à la présence de ce merveilleux joueur de hockey. Au début de l'intrigue, je me vantais devant mon ami Earl Pennington (Hutchins) d'avoir été dans ma jeunesse le meilleur joueur de hockey de mon équipe, et qu'il en surpassait plusieurs, même ceux des équipes adverses... Que si je l'avais voulu, je serais devenu un joueur professionnel. Mais ne voilà-t-il pas que la sonnerie de la porte retentit, et qu'un client peu ordinaire s'amènait. Il s'agissait de Boum Boum Geoffrion. Ce dernier, voulant se faire construire un restaurant, venait demander des conseils à Gaston, qu'il savait excellent menuisier. Et c'est là que tout se compliquait, car la cadette des filles de Gaston (Isabelle Lajeunesse) vantait les dons de joueur de son père devant Boum Boum et Hutchins. Geoffrion le prenait au mot et déclarait qu'il avait organisé un *Old Timers league* composée d'hommes d'un certain âge. Et, Gaston était si bon qu'il l'invita à venir jouer lors de la prochaine joute. Ce fameux soir, on voyait revenir Gaston, les vêtements déchirés, à moitié mort, si bien qu'il avait décidé d'abandonner la partie au beau milieu. À la fin de la soirée, on se transportait dans un chic restaurant. On y voyait Gaston et sa femme, Hutchins et son épouse, qui venaient de terminer un somptueux repas, lorsqu'apparaissait de la cuisine un Boum Boum Geoffrion content, son tablier devant lui, et demandant si tout le monde avait bien aimé ses petits plats. Encore une fois, Boum Boum, c'était lui le meilleur ! »

On peut dire Berval, dans ce bateau du *show business* québécois, nous entraîne dans toutes sortes de surprises. Le voici à présent panéliste d'un amusant *quizz* à l'affiche du réseau TQS. *Zizanie* est un jeu assez simple en somme... Qui est avec qui ? Tel est le but de *Zizanie*. Le panel, composé de trois détectives « matrimoniaux », doit deviner les couples formés par trois hommes et trois femmes. Les questions sont parfois gênantes : « Quelle excuse vous donne le plus souvent votre partenaire quand il n'a pas envie de faire l'amour ? Elles révèlent les goûts particuliers des participants, et suscitent des réflexions et commentaires cocasses de la part des trois interrogateurs. Lorsque les réponses des conjoints ne sont pas identiques, un désaccord s'engage, accompagné d'explications. Bref, c'est la zizanie ! Ce *quizz*, inspiré du jeu américain *The Newlywed Game*, est régulièrement retransmis sur les ondes de TQS avec une moyenne de six cent quinze mille téléspectateurs. L'animateur en est Jacques Lussier, et les panélistes en sont Paul Buissonneau et Paul Berval. Ouf ! Quelle paire originale, ne trouvez-vous pas ?

Notre ami Berval se trouve aussi subitement trop gras. Homme décidé, il fait attention à bien manger et coupe en grande partie l'alcool. Aidé des A.A., il suit une cure de désintoxication. Pour aider les gens à mieux se nourrir, il publie en 1972 un livre de recettes *Tout le monde peut maigrir* grâce auquel il a, le plus sérieusement du monde, perdu « 13 608 80 grammes ». Voici la publicité entourant le lancement de son bouquin : « Paul Berval, grand prix de tragédie au conservatoire, est un homme qui, depuis trente ans, ne cesse de nous faire rire à la ville comme à la scène. Il s'agit d'un artiste drôle, plein d'esprit et très sympathique, doublé d'un homme de cœur. Il s'associe aux bonnes causes, plus particulièrement à la Croix brisée qui vient en aide aux enfants handicapés. C'est avec délectation que Paul Berval nous parle de ses goûts variés des plaisirs de la table. Les mets italiens, du saumon au fenouil en passant par le foie de veau, le caviar, et les fèves au lard (souvenir d'enfance) pour ne nommer que ceux-là. Son plat préféré : les escargots à l'ail. Son fruit préféré : tous, mais en particulier l'ananas. Son légume préféré : les champignons farcis, et les cèpes. »

Voici une recette issue de son livre : Coupelles d'oranges sanguines.

2 jaunes d'œufs.
¼ tasse de sucre .
Jus de 2 oranges sanguines.
Zeste d'une orange.
250 ml de crème 35% (une tasse).
2 blancs d'œufs.
1 c. à soupe de sucre.

Coupelles :
3 feuilles de pâte phyllo.
3 c. à soupe de beurre (ou margarine) fondu.
Feuilles de menthe (décoration).
Sirop :

3 oranges sanguines pelées à vif, en suprêmes.
Jus de 3 oranges.
¼ tasse de miel.
½ c. à thé d'eau de fleur d'oranger.
1 c. à soupe de fécule de maïs diluée dans 2 c. à soupe d'eau.

Pour 4 portions :
1. Dans un bol, fouetter les jaunes et le sucre jusqu'à blanchiment. Ajouter le jus des 2 oranges et le zeste. Réserver.
2. Dans un second bol, fouetter la crème et l'incorporer au premier mélange.
3. Dans un autre bol, monter les blancs d'œufs en neige ferme avec 1 c. à soupe de sucre. Incorporer, délicatement avec une spatule, au mélange de crème fouettée.
4. Verser dans des ramequins individuels et congeler au minimum 3 heures.

Coupelles :
5. réchauffer le four à 180°C (350°F).
6. Superposer les 3 feuilles de pâtes phyllo et couper 4 cercles de 17, 5 cm (7 po) de diamètre. Badigeonner de beurre fondu et déposer dans des moules à muffin. Cuire au four 5 minutes.

Sirop :
7. Dans une casserole, chauffer le jus d'orange, l'eau de fleur d'oranger et le miel. Lier à la fécule de maïs.
8. Retirer du feu et incorporer les suprêmes d'oranges, laisser refroidir.

Dresser sur une assiette :
9. Sur une assiette, placer une coupelle de phyllo. Démouler un parfait sur une assiette et à l'aide d'une spatule le déposer au centre de la coupelle
10. Verser le mélange sirop-suprême sur le parfait. Décorer de feuilles de menthe fraîche.

Bon appétit !

« Du 15 novembre au 12 décembre 1971, raconte Berval, nous

avons repris *Bousille et les justes*, cette fois au Théâtre des Variétés de Gilles Latulippe. Yvan Canuel, comédien coqueluche du public, était notre jeune metteur en scène. C'était un garçon d'une grande sensibilité qui avait bien saisi l'œuvre de Gélinas ». (Yvan est décédé en 2001.)

En 1987, on présente à Montréal et à Québec *La Vie Parisienne* de Jacques Offenbach dans une mise en scène de Lionel Daunais. La direction musicale est assurée par Lionel Renaud et les chœurs sont sous la compétence de René Lacourse, tandis que Jack Ketchum est le maître de la chorégraphie. Même si on annonce Paul Berval au sein de la distribution, mentionnons qu'il ne fera qu'une toute petite apparition au second acte. Elle sera cependant très appréciée du public. Lisons cette critique : « Berval fait rire, vole même le *show* lors de sa prestation. » Fernand Gignac, Gilles Latulippe, Napoléon Bisson, Serge Laprade. Andrée Boucher, Bruno Laplante, Denis Drouin, Pierre Dufresne, Denyse Parent, Olivier Guimond, Nicole Picard, Yoland Guérard, Jacqueline Plouffe et autres sont les grands noms de cette distribution. Cette fois-ci, les productions CJMS n'obtiennent pas le succès escompté.

« À ce moment-ci de ma biographie, souligne Paul Berval, nous nous apercevons Pierre Day et moi qu'il est bien difficile d'énumérer toutes les émissions auxquelles j'ai participé soit en tant qu'animateur, comédien, chanteur comique ou d'opéra, disc-jockey, et invité spécial. Je vois que j'ai oublié en cours de route *Grande Allée* (CKVL), *Un Beû de tout* (CKAC), *Les Copains 67* (CKVL), *La fille de Madame Angot* de Charles Lecoq, *La Vie Parisienne* (Offenbach). Je pense aussi aux *Insolences d'une caméra*, à *L'Histoire du soldat* en compagnie du célèbre mime Marcel Marceau, et *Moi et l'autre* de Gilles Richer en compagnie de Dominique Michel et Denyse Filiatrault. »

En parlant de cette dernière, Paul dira : « J'ai adoré jouer dans *Chez Denise*, qui a fait les belles soirées de Radio-Canada de 1978 à 1983. Ah ! *Chez Denise* ! J'étais Fédérico le Cuistot… "Yé palé comé ça" avec un accent italien très prononcé. J'avais aussi joué un Italien dans *Cré Basile*. Si bien que les italiens pensaient que mon père et mon grand-père étaient italiens. J'avais étudié cette belle langue chantante et dans cette émission je faisais de véritables phrases italiennes. Denise nous permettait d'improviser. Elle en pleurait de rire. Nous gardions même les prises, comme le faisaient les américains. Dans un épisode, nous avions fait une parodie de *La Cage aux folles.* Christian Lalancette, joué par André Montmorency, faisait la grande folle et moi, l'Italien, son amant. Je lui parlais dans un italien à ma façon, et l'accent aidant, je lui faisais la cour très langoureusement. C'était tordant. J'ai toujours aimé le *switchage* de langage. Je me souviens avoir déjà joué *Athalie,* ce grand classique, en western. Je passais du bon français au style tout à fait américain. Ça s'appelait *Athalie rides again.* Je me rappelle que dans un épisode de *Chez Denise*, nous avions préparé une truite à la japonaise avec plaques chauffantes et démonstrations de couteaux. Je vous dis que les truites revolaient, c'était pas possible. Mon Dieu que je me suis amusé, entouré de ces fous comédiens qui avaient pour nom Benoit Marleau, Roger Joubert et André Montmorency ! Je recommencerais cette expérience n'importe quand. »

Paul Berval a une carriètre très remplie. Il regrette pourtant une seule chose, celle de ne pas avoir joué plus fréquemment dans un théâtre d'été. En 1985,Yvon Leroux, qui signe la mise en scène de *Faut divorcer* de Bertrand B. Leblanc, lui donne cet immense plaisir. La distribution ne comprend que trois comédiens, dont Yvette Thuot, avec laquelle il a travaillé dans les années 50 dans la pièce *La folle de Chaillot* de Jean Giraudaux et Yvon Leroux. L'auteur Bertrand B. Leblanc est né au Lac-au-Saumon dans le comté de Matapédia. Déjà écrivain prolifique, Bertrand B. Leblanc décide, au début des années 80, de se consacrer à l'écriture de pièces de théâtre. *Faut divorcer* est tiré de son roman *Moi, Ovide Leblanc, j'ai pour mon dire*, dont Pierre Dagenais tirera un monologue théâtral monté par Gilles Pelletier, qui fera connaître ce chef-d'œuvre sur toutes les scènes du Québec. Dans son répertoire, on trouve aussi *Ti-Cul Lavoie*, *Faut se marier pour...*, et *Faut placer Pépère*. Ces deux dernières pièces obtiennent un grand succès au théâtre d'été d'Yvan Canuel. Celui-ci disait de Leblanc : « Il est pour le Québec ce qu' était pour la France Marcel Pagnol. » *Faut divorcer* depuis sa création en 1981, n'a jamais cessé d'être jouée sur nos scènes du Québec ; plus de trois cents représentations. Voilà une feuille de route impressionnante au palmarès de la dramaturgie québécoise.

Au théâtre de l'Escale, bateau ancré à Belœil sur le Richelieu, la pièce passe le cap de quatre cents représentations, et la salle est toujours bondée de gens qui s'amusent comme des fous.

« Si j'ai beaucoup travaillé à la télévision de Radio-Canada, j'ai aussi été souvent choyé par CFTM-TV, alors nommé le Canal 10, conte Paul. Grâce à mon ami Robert L'Herbier, j'ai pu participer à *Alors raconte*, *Elle et lui*, et *Cré-Basile*, mettant en vedette mon camarade Oliver Guimond. Je me souviens aussi de *École du bonheur*, *Quizzo*, *Le 5 à 6*, *Réal Giguère illimité*, et je suis persuadé que j'en oublie. Il y avait très peu de réalisations cinématographiques au Québec, mais j'ai joué des rôles intéressants. Il est plus facile d'énumérer les films canadiens dans lesquels j'ai travaillés comme *Le gros Bill*. Comment oublier cette magnifique collaboration avec la charmante Juliette Béliveau. Toute petite bonne femme, mais combien grande vedette ! Si gentille avec tous les gens qui l'entouraient. Du réalisateur à l'accessoiriste, en passant par les machinistes du plateau, tous adoraient cette formidable comédienne. Chère Juliette Béliveau, moi aussi je pense souvent à toi ! J'ai aussi eu l'honneur de travailler pour l'O.N.F dans *Il était une guerre*. Ensuite, vu mon succès dans la populaire émission télévisée *Excuse my french*, j'ai travaillé dans la production anglophone *Once upon prime time*. J'avoue que je me débrouillais fort bien dans la langue de Shakespeare.

Paul se souvient également d'une production qui, après tant d'années, fait encore parler d'elle. Il s'agit de *Deux femmes en or*, dont il garde un souvenir impérissable ; Louise Turcot et Monique Mercure sont les deux grandes vedettes de cette première comédie quelque peu osée écrite par Guy Fournier. De nombreuses vedettes masculines gravitent autour de ces jolies femmes « en or » à la recherche d'un peu d'amour. Paul Buissonneau, Gilles Latulippe, Yvon Deschamps, et Pierre Labelle sont, entre autres, de la distribution. Pour sa part, Paul est vendeur d'un nouveau savon miracle pour machine à laver, et frappe donc chez une des deux jolies dames de Ville Brossard. Aguiché par la toute belle Louise Turcot, il se perd avec elle, ou plutôt perd sa chasteté, dans une mer de *bubbles* qui, très complice de leurs ébats amoureux, cache leurs petits péchés mignons.

À l'écran, cette séquence ne durera environ qu'une minute. Mais le tournage et la mise au point de cette scène dificile prendra plus d'une heure. Les deux comédiens, irrités par la force insoupçonnée de ce savon qui produisait de si délicieuses petites bulles, se grattent un bon moment jusqu'au sang. Heureusement, d'apaisants soins médicaux les débarrasseront de cette horrible démangeaison. Pour Paul, qui n'a qu'une seule scène, ce n'est pas si grave, mais pour la pauvre Louise Turcot, qui doit continuer le tournage, c'est un peu plus embêtant. « Ah ! mon Dieu ! Que ne faut-il pas endurer pour faire rire le public ! Mais quel bonheur quand, assis incognito dans l'obscurité d'une salle de cinéma, on entend rigoler le public face à une séquence où tu as donné tout de ton talent, tu entends s'esclaffer des spectateurs encore inconnus pour toi au moment du tournage. »

En 1992, avec son amie de longue date Olivette Thibault, Paul joue dans le film *La force de vivre*, dans lequel il incarne un rôle dramatique. Le rêve d'enfant de Paul était de conduire un tramway. Dans le film *Les Plouffe*, produit la même année, il va réaliser son rêve, et reprendre le personnage d'Onésime amoureux de Cécile Plouffe. Ce personnage était interprété à la télévision par Denise Pelletier. Au cinéma, c'est la talentueuse Denise Filiatrault qui l'endossera. Onésime avait été créé par Roland Bédard, mon demi-frère. C'est la première fois que je suis demandé pour reprendre l'un de ses rôles. Je fais mon grand possible pour être digne de ce grand comédien. *La Famille Plouffe* de Roger Lemelin est tournée en l'espace de quatre mois à Saint-Henri et à Québec. Les dialogues sont du réalisateur Gilles Carle. Nous retrouvons dans cette production Émile Genest (Théophile Plouffe), Pierre Curzi (Napoléon), Gabriel Arcand (Ovide), Serge Dupire (Guillaume), Denise Filiatrault (Cécile) et Paul Berval (Onésime). La distribution comprend plus de soixante rôles, et plus de mille cinq cents figurants. Onésime Ménard, que Paul interprète dans ce film, est un gars marié, mais depuis longtemps amoureux de Cécile Plouffe. Il se fait tuer au volant de son véhicule lors d'un spectaculaire accident de la circulation. Cécile, inconsolable, obtient de la veuve de cet homme qu'elle avait tant aimé la permission de défrayer les études du jeune Nicolas Ménard, le fils d'Onésime. Elle entretient ainsi l'illusion d'avoir eu un enfant de son amoureux pusillanime, et fait admettre le gamin au Petit Séminaire où il poursuivra son cours classique en vue de devenir avocat. La vieille fille, sur le tard, se trouvera ainsi une raison de vivre.

« À la télévision également, de poursuivre Paul, je devins la voix de Fred Caillou dans les *Pierrafeu.* Clément Fluet était l'auteur des textes français. Dans la rue, les téléspectateurs qui me rencontraient me disaient surtout : "ya ba da badou ! Comment ça va, Fred Caillou ?" Que voulez-vous ? Vingt ans en ondes, ça marque un homme ! C'était un *cartoon* bien fait, toujours amusant et, surtout, immensément populaire. Claude Michaud, Monique Miller et Denise Proulx formaient avec moi les voix françaises de ce populaire *cartoon* américain. J'ai eu l'honneur de recevoir un trophée pour mon interprétation de Fred Caillou. Les télévisions et les radios étaient inondées de la publicité des *Pierrafeu* qui étaient de toutes les sauces, pour ne pas nommer la sauce en question. Nous avons enregistré en tout deux cent quatre-vingt-dix demi-heures. Le décès de Denise Proulx freina notre travail et, en 1994, le cinéma mit à l'affiche ces fameux *Pierrafeu.* La voix de Yves Corbeil y remplaça la mienne. On m'a expliqué qu'il fallait une voix pour aller avec celle de John Goodman, qui le faisait en anglais. D'ailleurs, il n'y avait personne de la distribution originale, ni Claude Michaud ni Monique Miller. Je suis cependant persuadé que les téléspectateurs se souviendront longtemps de nous quatre. Nous demeurerons les *Pierrafeu* originaux. Que voulez-vous ? Ce sont les Américains qui décident. Je leur dis le "mot de Cambronne". Voici en souvenir un extrait de notre thème tant de fois entendu :

Partons à l'aventure
il faut rattraper les Pierrafeu
Filons à toute allure
Et prenons le temps de rire un peu
C'est fou comme ils peuvent se faire aimer
Partout ils sauront nous amuser

Suivons les Pierrafeu
Quelle bande sympathique
Préhistorique
Les Pierrafeu sont là ! »

De 1988 à 1990, Paul Berval passe à plusieurs reprises à la populaire émission *Les Démons du Midi,* animée par Suzanne Lapointe et Gilles Latulippe. La compagnie Maytag, qui a fait de nombreux commerciaux avec Roland Bédard, demande à Paul Berval de prendre la relève de son demi-frère. Paul n'apparaîtra cependant que rarement dans ces célèbres commerciaux. Une opération à cœur ouvert, l'alcool, la désintoxication, des difficultés familiales, ainsi que de sérieuses pertes de mémoire, mettront un terme à la fulgurante carrière de Paul Berval.

Depuis 1992, afin de prendre du repos, il vit dans une maison pour personnes âgées. Depuis ce temps, il a participé à quelques entrevues télévisées, dont une fort intéressante avec Marie-Claude Lavallé.

Le 20 janvier 2002, Roger Sylvain a organisé une grande fête pour célébrer les 55 ans de vie artistique de Paul. De nombreux artistes lui ont rendu un vibrant hommage. Béatrice Picard, qui a longtemps interprété Délima aux côtés de Paul Berval dans la traductions des *Flinstones*, était présente, et leur dialogue rempli d'humour a été des plus prisé de la part d'un public heureux de se rappeler ces amusants souvenirs. Benoit Marleau, André Montmorency, Claude Blanchard, Monique Saitonge, Jean-Paul Kingsley, Gilles Latulippe, Pierre Jean et plusieurs autres étaient aussi présents. Lors de cet événement, Richard Huet, Michel Stax et Janine Gingras lui ont, pour leur part, rendu hommage en chantant.

Le 11 juillet 2002, nous avons pu lire dans *La Presse* : PAUL BERVAL INTRONISÉ. « C'est lors du cocktail soulignant le 20e anniversaire du Festival Juste pour rire, et de l'inauguration de l'exposition *Les Immortels de l'humour*, hier au musée Juste pour rire, que Paul Berval a appris qu'il était intronisé au Temple de la renommée en humour. Étaient présents de nombreux humoristes, de même que la ministre de la Culture et des communications Diane Lemieux, qui a souhaité 20 ans de plus à l'événement. »

Simone, l'épouse de Paul Berval, l'accompagnait à cette cérémonie. Et le même jour, Paul Berval apprit le décès d'un de ses plus grands amis, le sénateur Jean-Pierre Coté. Paul parle encore avec beaucoup d'émotion de ce compagnon d'enfance, de ce chef scout qui aura favorisé, sans en être alors conscient, la transformation d'un Ti-Paulo Bédard en un fantastique et glorieux Paul Berval. Une étoile qui marquera longtemps notre patrimoine culturel québécois.

Postface

J'ai conscience d'avoir pratiqué depuis ma tendre enfance le plus beau métier du monde, soit celui de faire rire et même de créer chez les gens qui avaient besoin d'intenses émotions. Oui, toute ma vie j'ai joué la comédie pour satisfaire un public qui en avait besoin. Et moi, comme comédien, j'ai toujours eu besoin du public. Besoin de me sentir aimé. Encore maintenant, on m'arrête souvent dans la rue, et ça me fait plaisir. Je pense qu'on a besoin d'une bonne dose d'humilité dans ce métier. Il faut être satisfait d'avoir bien accompli son travail, et ne pas se prendre pour un autre. On n'est pas plus qu'un autre. On pratique un travail qui, forcément, nous fait connaître plus, mais au point de vue humain, c'est un métier qu'on essaie de faire le plus honnêtement possible. Je suis très critique envers moi-même. Forcément, parce qu'on ne peut pas toujours être à son meilleur.

On traverse des moments difficiles dans la vie, comme tout le monde, et dans ce temps-là il faut beaucoup d'énergie pour oublier complètement qu'on vit une situation tragique. C'est probablement pour ça, qu'un jour, j'ai préféré jouer la comédie que la tragédie. Je pense à cette chanson que j'ai si souvent interprétée devant le public, et que je transpose facilement à ma propre vie : « *Je ne sais pas pourquoi quand je parlais, les gens riaient. Je ne sais pas pourquoi. Depuis toujours c'était comme ça. Un jour, j'en ai fait mon métier. Un peu forcé, presque obligé. Le public riait, riait, riait. Et je n'étais plus triste.* » Oui, cette chanson m'a si bien marqué que sans trop m'en rendre compte, je l'ai intégrée à ma vie. Je pense que c'était aussi une défense contre la morosité.

Vous savez, quand on ferme une porte derrière soi, quand on sort d'un studio, ou lorsqu'on laisse la scène d'un cabaret de nuit vers sept heures du matin, encore imbibé de trop d'alcool et des rires à profusion que nous avons provoqués, seul dans la rue, on ressent une solitude étrange et profonde, un grand vide. Ce n'est pas toujours comme ça, mais il arrive que, après avoir laissé une foule enthousiaste, on se retrouve démaquillé, seul sur son étoile qui soudain a cessé de briller, avec plus personne autour de nous dans cette rue atrocement vide ; alors là, on éprouve un moment de *spleen*. Il est difficile de reconnaître que la vie n'est pas une scène ! Et pourtant, j'ai passé ma vie sur une scène. Le monde n'est-il pas quand même la plus vaste scène de l'univers ? Oh ! non, on ne fait pas ce métier pour être adulé. C'est un travail qu'il faut faire honnêtement. Il faut y mettre tous les efforts et y croire. Si on veut vraiment, je crois que tôt ou tard, on peut y arriver. Je ne vous cache pas que c'est aussi une vie ancrée dans le provisoire. Aussi, vous n'êtes pas toujours sûr d'avoir du travail le lendemain. C'est peut-être matérialiste de dire cela, mais j'ai quand même vécu cette angoisse de me demander de quoi demain serait fait. C'est vrai que c'est comme ça. Donc, il faut avoir la foi et se débrouiller pour trouver du travail, parce que personne ne viendra te chercher chez toi. Peut-être que si, mais tu ne le sais pas toujours d'avance.

Aux jeunes comédiens, je donne les conseils suivants. Pour faire ce métier, il faut d'abord avoir la voix. C'est très important de travailler sa voix. Ensuite, si vous voulez faire du chant, il faut avoir un bon professeur, et faire des exercices. Et prendre des cours de danse. Il faut avoir beaucoup de discipline pour pouvoir jouer plusieurs rôles. Cela représente beaucoup de travail. Une bonne dose d'humilité est nécessaire. Pour rendre son public heureux, il faut l'aimer. Ce métier, il faut le faire honnêtement, y mettre tous les efforts et surtout y croire. Pour ceux qui veulent se lancer dans la comédie, il y a l'école du Festival Juste pour rire. Pour les autres, je pense à une formation complète dans une école de théâtre. Les jeunes ont beaucoup de chance aujourd'hui. Il y a d'excellents conservatoires d'art dramatique. Si vous sortez de l'un de ces conservatoires, je vous donne un conseil : jouez le plus souvent possible, que ce soit au théâtre amateur ou bien au sein d'une troupe inconnue. Mettez-y beaucoup d'âme, de cœur et, surtout, d'enthousiasme. Ça prend ça puisque ce n'est pas facile de percer !

Bonne chance à tous ceux et celles qui comme moi ont ce métier dans l'âme.

À bon entendeur, salut !

Paul Berval
Ti-Paulo

***

Vers la fin décembre 2003, peu avant Noël, Paul Berval réalise un rêve qui lui est cher : quitter la maison de convalescence de Boucherville, où il séjourne depuis quelques années, pour se retrouver dans le Vieux-Longueuil, ville qu'il affectionne tout particulièrement.

La maison de repos, Les chevaliers de Lévis, devient son ultime refuge. Le sentiment de joie, de confort et de bien-être qu'il ressent à y vivre est cependant de courte durée ; sa santé hélas se détériore de jour en jour.

Cela ne l'empêche pas d'accueillir, avec une émotion palpable, sa grande amie Denise Filiatrault, venue lui rendre un dernier hommage, sous l'égide du Musée juste pour rire. Le 22 janvier 2004, une équipe de télévision est sur place pour capter ces moments émouvants qui seront diffusés dans le cadre du Gala des Olivier. Denise Filiatrault lui remet alors le trophé qui couronne la carrière riche et brillante de ce pionnier de l'humour.

Le lendemain, il s'empresse de me raconter combien touchante a été sa rencontre avec Denise Filiatrault et celle de son petit-fils qui lui a offert, pour l'occasion, un bouquet de fleurs.

« Dépêche-toi de sortir notre livre car je vais mourir bientôt », me dit-il en guise d'adieu.

Une semaine avant d'être transporté à l'Hôpital Pierre Boucher, il reçoit la visite de son compagnon d'enfance Ti-Loup Roger Trahan. Ce jour-là, ils se remémorent leur jeunesse dorée.

La boucle est bouclée. Paul, entouré de sa famille, s'éteint le mercredi 25 février 2004 en après-midi.

Le dimanche 29 février, Le Gala des Olivier, de concert avec le Musée juste pour rire, permettent encore une fois au grand Paul Berval de recevoir une ovation debout.

Le 6 mars 2004, sa conjointe, Madame Simone Mercille Bédard, ainsi que parents et amis lui font un dernier adieu à la Cathédrale Saint-Antoine de Longueuil. SALUT MON TI PAULO.

Index

A

B

C

D

E

F

G

H

J

K

L

M

N

O

P

S

T

V

W

Bibliographie

Pour la rédaction de cet ouvrage l'auteur à consultés les livres suivants :

LEMELIN, Roger, *Le crime d'Ovide Plouffe*, ETR, 1982.

BÉDARD, Roland, *Biographie de André Boulanger*, Éditions du Trécaré, département de Diffulivre, 1984.

GUIMOND, Luc, *Olivier Guimond, Mon père. Mon héros*, Édimag Inc., 1997.

NORMAND, Jacques, *Les nuits de Montréal*, Les Éditions La Presse, Alain Stanké Directeur, 1974.

Gauthier, Robert, *Jacques Normand, l'enfant terrible*, Les Éditions de l'Homme, 1998.

DESMARAIS, Jean-Pierre, *Révélations d'un survenant du cinéma*, Les Éditions Lumières, 1982.

Cet ouvrage
composé en caractères Perpetua corps 12
a été achevé d'imprimer
sur les presses de l'imprimerie
First Impressions Graphics & Printing
à Toronto
le 21 avril deux mille quatre
pour le compte des ÉDITIONS TRAIT D'UNION